PETITS COMPLEXES
ET GRAND AMOUR

L'auteur

Cathy Hopkins vit à Londres avec son mari Steve et ses trois chats : Barnie, Maisie et Mollie. Elle a déjà publié une quinzaine d'ouvrages en Angleterre, dont des textes humoristiques et des livres sur le bien-être pour les adultes.

Vous avez aimé

Petits complexes et grand amour

Écrivez-nous
pour nous faire partager votre enthousiasme
Pocket Jeunesse, 12, avenue d'Italie, 75013 Paris.

Cathy Hopkins

Petits complexes et grand amour

Leçon n°3 :

Comment le séduire

Traduit de l'anglais par Frédérique Le Boucher

POCKET
jeunesse

Titre original :
Mates, Dates and Portobello Princesses

Loi n° 49 956 du 16 juillet 1949 sur les publications
destinées à la jeunesse : avril 2003

© Cathy Hopkins, 2001
© 2003, éditions Pocket Jeunesse, département d'Univers
Poche pour la traduction française

ISBN 2-266-11913-3

*Mille mercis
à Terry Segal pour m'avoir laissée lire
le journal intime de ses quinze ans.
Promis, je ne révélerai aucun détail à sa mère.
Ni à son mari.
Du moins, pas tout de suite-tout de suite.
À Emma Creighton pour ses cours sur « L'équitation
enseignée aux débutants ».
À mon marido preferido, j'ai nommé Steve,
pour m'avoir accompagnée sur tous les lieux
évoqués dans ce livre.
En plein hiver. Et sous la pluie.
À Brenda et Jude des Éditions Piccadilly.
C'est un vrai bonheur de faire affaire avec elles.
Sans oublier Margot Edwards.
Chaque fois que je reçois un de ses e-mails,
je sais que je n'ai pas perdu ma journée.
Enfin, merci à Rosemary Bromley
pour avoir accepté de publier mes livres,
alors que je me résignais déjà
à m'engager dans la Légion.*

1

UN TRAIN D'ENFER

— C'est toi, Tasha ? Je t'entends mal. Ta voix est trop bizarre. T'es où ?

— Dans les toilettes du train le plus pourri d'Angleterre ! Je crois que j'ai pris un billet pour l'enfer.

Mon poignant désarroi n'a pas l'air d'émouvoir beaucoup Lucy : elle glousse dans son téléphone. Pourquoi faut-il que tout le monde se marre quand ma vie tourne au désastre ?

— Non mais, sans rire, Lucy. C'est un vrai cauchemar. On est bloqués au beau milieu de nulle part et je devrais être à la maison depuis trois siècles.

— On dirait que tu as la tête dans un seau tellement il y a d'écho. Qu'est-ce que tu fabriques dans les toilettes ? Tu es enfermée à l'intérieur ou quoi ?

Et la voilà qui recommence à rire.

Keep cool, Tasha ! *Keep cool* !

— Je me suis réfugiée dans les toilettes pour

7

utiliser mon portable sans que tout le wagon entende ma conversation. J'espérais trouver un peu de réconfort auprès d'une de mes deux meilleures amies, mais je crois que je me suis trompée...

— Désolée, Tasha. Ne t'inquiète pas : vous allez sans doute repartir dans deux minutes.

— Tu fais quoi ?

— Je regarde la télé : une rediff' de « Dawson ». Et, après, je retrouve Lizzie pour aller boire un café.

— Veinarde ! Qu'est-ce que je ne donnerais pas pour être avec vous ! Je ne supporterai pas ça encore longtemps, moi. Sans blague, je vais mourir d'ennui.

— Tu n'as pas un bouquin ?

— Je l'ai lu.

— Ben, un magazine, alors ?

— Je l'ai lu.

— Euh... Et si tu appelais Lizzie ?

— Pas là.

— Va discuter avec tes voisins.

— Oublie ! Je suis entourée de monstres : la Famille Adams au grand complet. À vous dégoûter à vie de faire des mômes !

— Tu adores les enfants d'habitude...

— Oui. Avec du sel et bien cuits. Non, sérieux, c'est l'horreur. Ce gosse me rend dingue à taper comme un malade contre le dossier de mon siège. Et, en plus, il se crêpe le chignon avec sa sœur. Et je ne te parle même pas de son jeu vidéo : un truc qui fait un boucan de tous les diables, genre sirènes de police et alarme anti-vol mixées en boucle. Et les parents sont là à le couver des yeux comme un petit ange.

— Change de place, alors. Va en première.

— Je suis DÉJÀ en première. À cause des vacances de Pâques, le train est bondé et, comme il n'y avait pas assez de places assises, ils ont surclassé tout le monde. Et le chauffage est en panne. Et il n'y a pas de voiture-bar. Et arrête de ricaner. Je ne vois pas ce qu'il y a de drôle !

— Désolée. C'est juste que je t'imagine, planquée dans les toilettes... Toi qui ne rêves que d'endroits branchés ! Remarque, difficile de faire plus privé comme club. Tu as sorti ta carte V.I.P. pour entrer ?

— Hilarant. Et par-dessus le marché, ça pue le tabac froid. Beurk ! Quelqu'un a dû fumer une cigarette en douce. Deux secondes. Je parfume l'atmosphère.

Je sors mon flacon de mon sac et je bloque le doigt sur le vapo.

— Ah ! C'est déjà mieux.

Mais mon soupir de soulagement tourne vite à l'appel de détresse :

— Lucy, je me barbe tellement, tu ne peux pas savoir !

— Pourquoi tu n'essaierais pas une petite séance de méditation ?

— N'importe quoi ! C'est pour Lizzie, ça ! Pas pour moi.

— Euh... Remaquille-toi.

— Bonne idée !

Je sors ma trousse à maquillage pour prendre mon bâton de rouge. Je n'ai pas commencé à m'en mettre qu'une brusque secousse me déséquilibre. Me voilà balafrée jusqu'à l'oreille ! Bien joué !

— Oups ! Attends, Lucy ! On redémarre. Lucy ? Lucy ?

Oh zut ! La communication a été coupée. Je range mon portable dans mon sac. Je prends un mouchoir en papier pour enlever le rouge à lèvres sur ma joue et j'en profite pour me recoiffer dans la glace. Et si je me faisais une tresse ? Ce garçon, dans mon wagon, n'a pas cessé de jeter des coups d'œil dans ma direction. Plutôt pas mal, entre parenthèses... Il paraît que ce qu'on remarque en premier, chez moi, ce sont mes cheveux qui tombent jusqu'aux fesses. Allez, je les laisse comme ça. Il faut que je sois au top pour le moment où Beau-Garçon-Assis-dans-le-Coin passera enfin à l'action. Ce qui ne saurait tarder, d'ailleurs... Simple question de temps.

Les gens me suivent des yeux pendant que je regagne ma place. Comme d'hab'. Tout le monde se retourne toujours sur mon passage. D'après Lizzie, c'est forcé : je suis tellement « subliiiime » qu'on ne voit que moi. Mais je me dis aussi, parfois, que c'est parce qu'ils n'arrivent pas à me situer. Je les observe en douce, pendant qu'ils se creusent la cervelle pour essayer de deviner ma nationalité. En fait, mon père est italien et ma mère, jamaïcaine. Quelquefois, je m'amuse à dire que je suis italicaine ou jamaïlienne. Essayez donc de me coller une étiquette, après ça !

Ne pas être facile à cataloguer peut se révéler très utile, certains jours. Par exemple, quand je suis en virée avec les filles et qu'on est prises d'une crise de fou rire. Dans ces cas-là, on se fait passer pour des étudiantes étrangères. Moi, je joue les Italiennes ou les Espagnoles. Lucy se transforme en Suédoise – avec ses cheveux blonds et ses yeux bleus, c'est crédible. D'autant plus qu'elle imite l'accent à la perfection. Quant à Lizzie – allez savoir pourquoi –, elle prétend qu'elle est norvégienne. Alors qu'avec ses longs cheveux châtains et ses superbes yeux verts, elle a tout de l'Irlandaise type. Le genre Corrs, vous voyez ?

Pendant que je me faufile entre les passagers assis sur leurs valises, au beau milieu du couloir, j'entends la voix du contrôleur grésiller dans le haut-parleur :

— Nous vous prions de nous excuser pour cette attente. Nous stopperons à Birmingham dans quelques minutes. Un problème mécanique nous obligera à stationner en gare le temps d'effectuer les réparations nécessaires. Nous arriverons donc à Londres avec environ deux heures de retard sur l'horaire prévu.

Une vague de grognements réprobateurs parcourt le train, immédiatement suivis d'un brouhaha invraisemblable : tout le monde a sorti son portable pour prévenir ses proches.

« Allô, Martha ? J'arrive à Birmingham. Je ne sais pas à quelle heure je rentrerai. Je prendrai un taxi. »

« Allô, Tom ? Je serai en retard. Le train est en panne. Je te rappellerai quand j'arriverai. »

Et c'est le même refrain d'un bout à l'autre du wagon.

Bon. Tout ça, c'est bien joli, mais je ne retrouve pas ma place. Je jette un coup d'œil aux autres passagers pour vérifier que je ne me suis pas trompée de voiture. Non. La Famille Adams est toujours là. Et Beau-Garçon-Assis-dans-le-Coin aussi. Aïe ! Je me suis fait piquer mon fauteuil par une vieille dame à lunettes. Elle s'est confortablement installée avec son sandwich et sa Thermos. Je ne peux pas la déloger : trop mesquin !

Le problème, c'est qu'il n'y a pas beaucoup de sièges de libres... Aucun, en fait. Oh, tant pis ! Je vais rester debout.

Debout pendant deux heures et demie ? Cool !

Heureusement les dieux ont pitié de moi. Comme on arrive à Birmingham, alléluia ! le

type en face de Beau-Garçon-Assis-dans-le-Coin
se lève. Beau-Garçon me regarde et m'indique du
menton la place vacante. Génial !

Sauf qu'au même moment le train s'arrête brutalement et... Boum !

— Salut ! me lance Beau-Garçon-Assis-dans-
le-Coin lorsque j'atterris sur ses genoux. En fait,
je pensais plutôt au siège d'en face, mais ça me
va très bien comme ça aussi.

Ah ! On veut jouer les petits malins ! Monsieur croit sans doute que je vais bondir comme
un ressort, en bredouillant des excuses embar-
rassées.

Attends un peu, mon petit vieux ! Je ne bouge
pas d'un millimètre, comme si j'étais super-bien
installée, puis je lui adresse mon sourire le plus
ravageur (celui avec le regard appuyé et le sourcil
légèrement arqué). Et, après – seulement après –,
je me lève, en lui disant :

— Plus tard, peut-être.

Et je m'assois sur le siège d'en face.

— D'ac... d'accord, bafouille-t-il. Hum... Pas
de problème.

Il a l'air tout chose, le pauvre chou.

— Hum... euh, je m'appelle Simon.

Je lui réponds, genre hyper-zen :

— Bonjour, Simon.

★

— Trop romantique !

À peine arrivée chez Lizzie, je déballe tout :

— Comme dans les romans. Je suis carrément tombée dans ses bras. Le truc dingue ! Quand on en fera un film, j'aimerais bien avoir ce type qui joue Angel dans « Buffy » comme partenaire. Il lui ressemble un peu.

Il était six heures et demie quand Maman est venue me chercher à la gare. Le temps de déposer mes affaires à la maison et je l'ai suppliée de me laisser ressortir. Il y avait urgence : trois longs jours sans voir les filles. J'avais trop de trucs à leur raconter !

— Un film ? Un clip, oui ! Tu viens juste de le rencontrer, ton « Angel », me balance Lucy, avant d'avaler une gorgée de Coca.

— Oui. Et, telle que je te connais, embraie aussitôt Lizzie, le coup de l'atterrissage sur les genoux, c'était plutôt du style accidentellement-exprès...

— Faux ! C'est le train qui a freiné brutalement.

Elle me regarde avec un petit air entendu, genre « à d'autres ! ». Mais Lucy-la-romantique-invétérée est tout ouïe.

— La suite ! Raconte ! s'impatiente-t-elle, en s'asseyant à sa place habituelle : en tailleur, sur le pouf mauve de Lizzie.

— Le reste du voyage a filé à vitesse grand

V. On a parlé, parlé, parlé... Et clac ! on était déjà à Londres !

— Comment il s'appelle ?

— Simon Peddington Lee. Il habite à Holland Park et il a dix-huit ans.

— Et de quoi il a l'air ? demande Lizzie.

— Grand, brun, les yeux noirs. Super-beau.

— Qu'est-ce qu'il faisait dans ce train ?

— Il est allé visiter St Andrews pour voir si ça lui plairait de s'y inscrire après le bac. J'irai peut-être aussi. C'est LA fac qu'il faut fréquenter, en ce moment.

— Ce n'est pas le prince William qui fait ses études là-bas ? hasarde Lucy.

— Simon le connaît ? s'enquiert Lizzie.

— Lui, non. Mais un de ses cousins, oui. Ils étaient ensemble à Eton.

— Simon va à Eton ? s'écrie Lucy, impressionnée.

— Non. Il fréquente une autre école privée dont j'ai oublié le nom. Un truc hyper-coté aussi.

— C'est un fils à papa, alors ? me charrie Lizzie, en prenant un ton carrément hautain pour articuler : Simon Peddddington Leeeeeee !

— Arrête ! Il n'est ni snob, ni frimeur, ni rien. De toute façon, je lui ai dit que je fréquentais une école privée aussi.

— Tasha ! s'offusque aussitôt Lucy. Tu lui as menti !

— Toutes les écoles privées comme Eton sont

15

bien appelées des « *public schools* », non ? Notre lycée aussi est un établissement « *public* », après tout. Et je vais même changer de nom. Un truc à rallonge dans le genre « Tasha Costello-Williams ». Suffit d'accoler les noms de famille de mes parents et le tour est joué. À moins que... « Tasha Williams-Costello » ?

— Oh ! Laisse tomber. Reste toi-même. Tasha Williams, ça sonne très bien, m'assure Lizzie.

— Tasha Méga-Top-Snob, ça sonne pas mal non plus, pouffe Lucy.

Je la mouche d'un air pincé :

— Pour une fois que je rencontre quelqu'un qui me plaît vraiment ! Je croyais que tu serais contente pour moi.

— Je le suis, se défend-elle. Mais, tu es bien sûre de vouloir te lancer dans une histoire avec un garçon qui risque de s'en aller bientôt ?

— Pas avant l'automne prochain. Et on n'est qu'en avril. Et puis, si on accroche vraiment, je pourrai toujours le rejoindre en Écosse, après le bac.

— Tu ne voulais pas devenir actrice ? me fait remarquer Lizzie. Ça m'étonnerait qu'il y ait des cours de théâtre à St Andrews.

Je n'avais pas pensé à ça.

— Mmmh... Je peux toujours changer d'orientation. Il vaut mieux ne se fermer aucune porte, à notre âge.

Lizzie explose de rire.

— On dirait ma mère ! Et quand est-ce que tu le revois ?

— Bientôt. On doit faire du cheval ensemble.

— Du cheval ? Attends : de l'équitation ?

— Ben oui.

— Ouah ouah ! Et tu es déjà montée à cheval ?

— Non. Bah ! c'est juste un coup à prendre.

Échange de regards alarmés entre Lucy et Lizzie.

— Il sait que tu n'es jamais montée avant, hein ? s'inquiète Lucy.

— Bien sûr que non ! Et puis, ça ne doit pas être si compliqué.

— Euh... Tasha...

— Laisse, Lucy, l'interrompt Lizzie. Autant qu'elle s'en rende compte par elle-même...

LE JOURNAL DE TASHA

Tu sais quoi ? J'ai un nouveau *boy-friend* ! Il s'appelle Simon Peddington Lee et c'est un garçon génial !

Il m'a déjà envoyé un texto :

:->> Ce qui veut dire « mégasourire ». Et « @bi1to ».

Qu'est-ce que j'aimerais être devin ! Parce que, sans blague, je crois que, cette fois, c'est le bon : L'Homme de ma Vie. Je n'avais pas flashé sur quelqu'un depuis des siècles. Et je ne suis jamais tombée amoureuse. Enfin, pas pour de vrai. Il a l'air tellement plus mûr que tous les gamins avec lesquels je suis sortie cette année ! Et il a de longues jambes et une bouche... trop, trop sexy.

Les garçons que j'ai largués depuis que je suis arrivée à Londres :

Robin (1 semaine en septembre dernier) : gentil mais rasoir. Regarde toujours dans le vague pour faire son intéressant. Ça lui donne juste l'air débile.

Michael (2 soirées en octobre) : le genre collectionneur qui se la joue. Il embrasse pourtant comme un pied. Et, en plus, il mord !

Nick (1 soirée en décembre) : beurk ! Se met des tonnes de gel dans les cheveux et a l'étrange manie de te fourrer la langue dans l'oreille. Franchement dégoûtant !

Steve (Janvier) : je l'aimais bien, mais il était beaucoup trop gamin et, en plus, je le dépassais d'une tête.

Alan (3 week-ends en février) : oui et non. Il disait qu'il voulait être médecin et il a essayé de me passer les mains sous le pull pour m'examiner « histoire de s'assurer qu'il n'y avait pas de problème de ce côté-là »... Pathétique !

Tony a une nouvelle copine. Et il s'est apparemment démis la mâchoire après une séance intensive de patins. Comment il s'y est pris, mystère ! Je ne sais pas si je dois en parler à Lucy. (Vérifier où ils en sont tous les deux, vu qu'ils sortaient ensemble, l'année dernière.) Même si mon frère a toutes les filles qu'il veut, il avait vraiment flashé sur Lucy...

Lizzie semble avoir perdu son sens de l'humour. On se demande pourquoi : elle sort avec Ben, le chanteur de King Noz, et elle baigne dans le bonheur total.

Bon. *Very very* fatiguée. *ZZZZzzzzzzzzzzzzzzzzz...*

2
RESTRICTIONS, RESTRICTIONS

Je trouve Maman bien calme depuis que je suis rentrée de Manchester. D'habitude, elle chante, le matin. Mal, mais elle chante. Et voilà qu'aujourd'hui elle est là, assise dans la cuisine, plongée dans la lecture du journal. Je ne la reconnais pas.

Je prends un tabouret pour m'asseoir à côté d'elle au « comptoir » (on a une cuisine américaine et on prend toujours le petit déj' perchés au bar) et je commence mon enquête :

— Papa te manque ?

— Bien sûr. Même si je suis habituée à ses longues absences. Pourquoi cette question ?

Je lui balance un coup d'œil à la Inspecteur Colombo, genre « On ne me la fait pas, à moi ».

— Tu n'as pas l'air très en forme. Est-ce que tu m'en veux parce que j'ai préféré aller voir Liz et Lucy, hier soir, plutôt que de rester avec toi pour te raconter mon week-end ?

— Mais non, ma chérie, s'esclaffe-t-elle. À cela aussi, je me suis parfaitement habituée.

— Bon. Tu es sûre que ça va ?

— Sûre, affirme-t-elle avec un grand sourire.

— Bon. Je peux prendre des leçons d'équitation, alors ?

— D'équitation ? Quelle idée ! Depuis quand tu t'intéresses aux chevaux, Tasha ?

À ce moment-là, Tony fait son entrée, genre gorille hirsute sous tranquillisant : pas traînant, bras pendants, cheveux ébouriffés et bâillements à se décrocher la mâchoire. Il est encore en robe de chambre.

— Ouais, c'est vrai, cha, grommelle-t-il d'une voix ensommeillée. Qui tu veux épater encore, hein ?

— Contrairement à certaines personnes ici présentes, je n'ai pas besoin de frimer, moi.

— Un mec quelconque, chparie, s'obstine-t-il en feignant de ne pas avoir entendu.

— Eh bien... j'ai rencontré un garçon dans le train, hier, et...

— Qu'est-ce que chdisais ! m'interrompt Tony en plongeant la tête dans le frigo.

Et si je le poussais à l'intérieur ? Non, retiens-toi, Tasha. Je poursuis, imperturbable :

— ... comme il m'a invitée à faire une promenade à cheval...

— Où donc ? demande Maman.

21

— Du côté de Hyde Park. Kensington, ou un truc dans le genre. Il m'a donné l'adresse. Je l'ai laissée dans ma chambre.

— Quand cha ? bâille Tony, qui émerge du réfrigérateur avec une bouteille de jus d'orange dans une main et deux croissants dans l'autre, avant de claquer la porte d'un coup de pied.

— Demain.

Tony tartine ses croissants de confiture de framboise et s'assied sur un des tabourets de bar.

— Apprendre à monter à cheval en un après-midi ? raille-t-il d'un air goguenard. Tu as vu jouer ça où, toi ? Atterris !

Je lui tire la langue.

— Je croyais que tu t'étais décroché la mâchoire en embrassant ta dernière conquête. Tu comptes t'y prendre comment pour mâcher ?

— Comme toi tu vas monter à cheval, répond-il du tac au tac, avant de mordre dans son croissant avec une grimace de douleur. Avec difficulté. Et, pour ton information, je ne me suis pas « décroché la mâchoire ». J'ai juste un peu mal, c'est tout.

— Bien fait ! Ça t'apprendra à vouloir donner des cours TRÈS particuliers à toutes les filles de Londres.

Après avoir remis mon cher frère à sa place, je repars à l'attaque sur le front maternel (je ne suis pas du genre à capituler) :

— Maman, je peux y aller, alors ? Prendre des leçons d'équitation, je veux dire.

— Eh bien... justement... Je voulais vous parler de quelque chose... J'aurais préféré attendre le retour de votre père, mais après tout... un peu plus tôt, un peu plus tard...

Ça y est ! Papa et Maman se séparent ! Oh non ! Pas ça ! Par pitié ! Je me souviens quand Lizzie nous a raconté pour ses parents. Exactement pareil : elle s'est rendu compte que sa mère avait l'air malheureuse ; son père était absent depuis hyper-longtemps, et puis la grande conversation : « Je voulais te parler de quelque chose... »

— Oh non ! NON ! Avez-vous essayé S.O.S. Couples ? Consulté un conseiller conjugal ? Tenté une thérapie ? Il ne faut pas baisser les bras. Une relation de couple, c'est comme une voiture : ça s'entretient.

À la façon dont Maman et Tony me regardent, ils me prennent manifestement pour une folle.

— Qu'est-ce que tu racontes, Tasha ? demande Maman.

— Oh non, Maman, pas le divorce ! Je t'en prie, je t'en prie ! Donnez-vous encore une chance ! Pour Tony et pour moi ! S'il te plaît !

Maman ouvre des yeux ronds. Et la voilà prise d'un fou rire monumental.

— Mais... mais, Tasha ! hoquette-t-elle. Je n'ai

aucune intention de divorcer : je suis très heureuse avec ton père.

— Ben, c'est quoi, alors ?

Son fou rire cesse net et sa mine s'assombrit.

— Il s'agit de mon travail. Mon contrat arrive à échéance le mois prochain, et il est question d'apporter un peu de sang neuf à la chaîne.

— Du sang « neuf » ! persifle Tony. Plus jeune, tu veux dire ?

Maman hoche la tête sans répondre.

— Lamentable ! s'insurge Tony en frappant du poing sur le comptoir. Tu es la star de la chaîne. TV News, c'est toi. Ils ne peuvent pas te remplacer.

— Oh que si, mon chéri ! soupire Maman en lui tapotant la main. Ce genre de petites choses arrivent même tous les jours. Les producteurs ne voient que par l'Audimat : leur seul but, c'est faire davantage d'audience. Et tous les moyens sont bons pour y parvenir.

— Ce n'est pas en se débarrassant de leurs meilleurs éléments qu'ils vont y arriver. Tu présentes le journal comme personne.

— Jeune homme, cela vous dirait de devenir mon agent ? le charrie Maman avec un petit sourire ironique.

— Tu seras fixée quand ? reprend Tony.

— Dans le courant des prochaines semaines. Ce ne sera pas sans conséquences pour vous. Il

24

va falloir restreindre les dépenses et faire des économies.

Je suis sûre qu'elle dramatise.

— Oh ! Ne t'inquiète pas pour ça, Maman ! Papa gagne bien assez d'argent pour nous tous, et il n'est pas près d'arrêter de travailler.

— C'est bien la raison pour laquelle je voulais attendre son retour avant de vous annoncer la nouvelle. Tu as raison, Tasha : ton père gagne beaucoup d'argent... quand il travaille. Mais n'oublie pas qu'il n'est attaché à aucun studio : il est réalisateur indépendant. Ce qui signifie qu'il n'est payé que lorsqu'il fait un film. Autrement dit : pas de film, pas d'argent. Et je crains que nous ne nous soyons quelque peu avancés en achetant cet appartement.

— Ça a toujours été comme ça. Pourquoi ce serait différent, maintenant ?

— Parce que, maintenant, c'est mon travail qui devient précaire. C'est ce que j'essaie de vous expliquer. Ton père terminera son film à Manchester dans quelques semaines et, pour lors, il n'a rien d'autre en vue. Tu comprends ? Avant, ce n'était pas grave parce que mon salaire nous permettait de traverser sans encombre ces passages à vide. À présent...

Au secours, je vais me trouver mal.

— Alors, nous sommes... PAUVRES !

Des tas d'images sordides tournent dans ma tête. PAUVRES ! Plus d'argent de poche ! Plus de ciné ! Plus de McDo ! Je me voyais déjà, affamée, dans le froid, le nez écrasé contre la vitre d'un restaurant, regardant les gens riches dans leurs beaux habits en train de manger des tas de bonnes choses, bien au chaud...

Le rire de Maman m'arrache à mon cauchemar.

— Pas encore, Tasha, me rassure-t-elle. Nous ne sommes pas à la rue et le congélateur est plein. Vous devez simplement comprendre que, tant que certaines choses n'auront pas été réglées, il sera préférable de ne pas faire de folies.

— Donc pas de leçons d'équitation ?

— Pas de leçons d'équitation.

— Je peux quand même aller voir Simon ?

— À condition que tu sois de retour à l'heure du dîner, oui.

— Tu ne vas pas avoir besoin d'argent pour ton rencard ? lâche Tony, trop content de me mettre des bâtons dans les roues, comme d'habitude.

— Eh bien non, Monsieur-Je-Sais-Tout. Simon connaît la propriétaire du club. Il donne des cours aux enfants, le week-end, et, en échange, elle l'autorise à monter quand il veut. Lui et tous ses amis. Gratuitement. Et toc !

— Pourquoi tu voulais prendre des leçons, s'il peut t'en donner ? rétorque Tony d'un air suffisant. Oh ! je vois ! Mademoiselle voulait épater son petit copain genre « Moi, Tasha Williams, je monte à cheval à la perfection »...

— Certainement pas.

— Si, c'est pour ça.

— Non.

— Si.

— Non.

— Oh ! Mais quand allez-vous donc grandir un peu, vous deux ? s'écrie Maman en se plaquant les mains sur les oreilles.

3

ROBERT REDFORD ET MOI

Je dois retrouver Simon à « Kensington ».
C'est la station la plus proche du centre équestre.
J'ai hâte d'y être. Un après-midi entier, seule
avec lui ! Ce sera l'occasion de faire plus ample
connaissance... Et de voir si ça fonctionne vraiment entre nous. Et puis, je vais apprendre à
monter à cheval. Et sans débourser un sou, en
plus !

Je descends du métro ; je remonte le quai ; je
grimpe les marches quatre à quatre ; je sors dans
la rue... et là, douche froide : Simon m'attend
bien. Mais en compagnie de deux belles blondes.
À peu près mon âge, ou peut-être un ou deux
ans de plus. Grandes, minces et plutôt jolies – si
elles ne tiraient pas une tête de dix pieds de long.
Affalées contre la grille du métro, elles affichent
toutes les deux cette moue boudeuse style top
modèle en couverture de *Vogue*, le genre « Une
minute de plus dans ce trou mortel et j'appelle
mon agent ». Avec leur queue de cheval, leurs

jodhpurs et leurs bottes d'équitation, elles ont l'air de cavalières expérimentées... et moi, avec ma panoplie jean-baskets-petit haut moulant, d'une extraterrestre.

J'ai à peine le temps d'arriver que Simon fait déjà les présentations :

— Tasha, je te présente ma sœur, Tanya, et son amie, Hélèna.

Tanya me sourit, mais Hélèna fait une espèce de grimace à la Posh Spice, en lorgnant mon T-shirt d'un air dégoûté.

— Alors, c'est toi, Tasha ? lâche-t-elle d'une voix lasse.

— La seule et l'unique. Salut !

Tanya paraît plutôt sympa. Elle a ce même côté ouvert et franc qui attire immédiatement chez son frère. Hélèna, c'est une autre histoire. À la voir, on a l'impression qu'une mauvaise odeur lui chatouille les narines. Dommage ! elle pourrait être hyper-mignonne, si elle ne fronçait pas le nez comme ça.

Pendant qu'on se dirige vers le parc, je sens mon baromètre intérieur se caler au beau fixe : il fait un temps superbe ; il y a plein de tulipes et de jonquilles partout, et je suis avec Simon.

Hélèna et Tanya marchent à quelques mètres de nous, accrochées à leurs portables. Hélèna ne me quitte pas des yeux et suit le moindre de mes gestes. Quand Simon me prend la main, elle se décompose. Elle a l'air horrifiée.

— Tu es déjà montée, n'est-ce pas ? demande Simon.

— Oui, c'est ce que j'ai dit. Mais, pour être tout à fait honnête, c'est complètement faux. Je croyais que j'allais pouvoir m'en sortir, le faire au feeling : genre on monte sur le cheval ; on jette un coup d'œil dans le rétro ; on déboîte pour se faufiler dans la circulation et on suit le mouvement. Maintenant, j'ai des doutes.

Simon éclate de rire.

— *No problem*. Je vais te montrer. Et puis, d'ailleurs, tu n'as pas vraiment tort : on doit effectivement se mêler à la circulation sur un petit bout de chemin, pour aller du club au parc.

— Sur la route ? (Ma belle assurance fond comme neige au soleil.) Avec les voitures ?

— Les chevaux sont habitués et la plupart des automobilistes savent qu'ils doivent ralentir à cet endroit. Ne t'inquiète pas. On va te choisir une monture docile qui ne te mènera pas la vie dure.

— Oh ! Bon. C'est cool, alors.

Malgré mon apparente sérénité, je ne me sens pas zen du tout.

— Tu n'es jamais montée à cheval ! s'écrie Héléna, avec une mine scandalisée.

Je suis déjà prête à lui balancer « Toi, dégage ! », mais je me mords la langue et je secoue la tête en silence. C'est une amie de Simon après tout.

Le centre équestre est situé au bout d'une

petite impasse pavée. Au fond, se dresse un bâti-
ment blanchi à la chaux avec des têtes de chevaux qui jettent un coup d'œil par-dessus la porte
de leurs box.

Je m'extasie :

— Dingue, un truc pareil, ici ! Je ne savais
pas qu'on pouvait monter à cheval en plein cœur
de Londres.

— Incroyable, non ? répond Tanya. Simon et
moi fréquentons ce manège depuis l'enfance,
mais, en fait, peu de gens connaissent son
existence.

— Personnellement, je préfère monter à Richmond, minaude Hélèna qui, pour la énième fois
de la journée, nous joue les aristos pure souche,
avec ses grands airs supérieurs. Mon cousin y
possède un haras. Du reste, c'est le rendez-vous
de tous les cavaliers dignes de ce nom. La pres-
sion urbaine est tellement présente, ici. Alors
qu'à Richmond le cadre est siiiiiiiii bucolique !

J'ai bien envie d'exploser : « Pourquoi que tu
ne fiches pas le camp là-bas, si c'est si génial ? »
(Ou, plutôt, pour parler comme elle, « Pourquoâ
ne fiches-tu pâs le camp là-bâs, dans ce câs ? »)
Mais, une fois de plus, par égard pour Simon, je
tiens ma langue.

C'est alors qu'apparaît une femme blonde qui
nous fait un signe de la main.

— Tu vois cette dame qui vient de sortir du
bureau ? dit Simon en répondant à son salut.

C'est Mme Creighton, la directrice du centre. Elle saura te choisir un bon cheval. Viens, Tanya. Tu vas m'aider à seller.

Et les voilà partis, me laissant seule avec Miss Nez-Pincé.

— Tu ne vas quand même pas monter... dans cette tenue ? lance Sa Majesté en me détaillant de la tête aux pieds.

— Et pourquoi pas ?

— Ce n'est pas la tenue réglementaire. Cela ne se fait pas.

Je la foudroie d'un regard noir.

— Tu cherches quoi, là, au juste ?

Elle se détourne sans daigner me répondre et le silence retombe, à couper au couteau. Je regrette que Lucy et Lizzie ne soient pas là. Avec elles, je me serais éclatée, au lieu de me faire snober par cette pimbêche.

Quand Tanya revient vers nous, elle porte une sorte de casquette rigide de velours noir sur la tête. Elle en tient une autre à la main qu'elle me donne :

— Mets ça, Tasha. Il faut toujours porter une bombe pour se protéger la tête, en cas de chute.

Une bombe sur une bombe ! Enfin, on a vu plus sexy comme couvre-chef. J'aurais préféré le Stetson de Madonna !

Au même moment, j'entends un bruit de sabots sur les pavés. Je me retourne. Simon s'avance vers moi en tenant un immense cheval marron clair par la bride. Il a au moins une girafe dans son arbre généalogique, celui-là !

— D'après Mme Creighton, c'est la monture qu'il te faut, me lance-t-il en souriant.

— Heddie ! s'exclame Hélèna, avec un grand hennissement méprisant. Tu vas lui donner Heddie ! C'est une antiquité !

— Tasha monte pour la première fois, répond Simon en caressant Heddie. Tu ne voudrais tout de même pas la mettre sur un cheval qui pourrait s'emballer sans prévenir et disparaître au triple galop Dieu sait où ?

À en juger par son expression, c'est justement ce qu'elle aurait voulu.

— Allez viens, Tasha, poursuit Simon. Je vais t'aider à monter.

Comme je fais un pas vers le cheval, ma devise « À cœur vaillant, rien d'impossible » vire au « À situation désespérée, stratégie d'urgence : courage, fuyons ! ». Je commence à me sentir franchement nerveuse. Heddie me paraît gigantesque : je dépasse à peine ses pattes ! Alors lui monter sur le dos ! Bon, restons zen, restons zen ! Je prends de grandes inspirations, comme on nous l'a appris en cours d'art dramatique pour vaincre le trac, et je fais un deuxième pas en direction de la bête... qui recule subitement, en secouant la tête, avec un profond reniflement qui fait frémir ses naseaux.

Du coin de l'œil, je vois bien qu'Hélèna n'en perd pas une miette. Elle se régale, la peste ! Attends un peu, Ton Altesse ! Je ne suis peut-être jamais montée à cheval, mais j'ai lu le bouquin de Lizzie *Tremblez mais Osez !* (Enfin... les trois première pages !) Il suffit d'accepter sa peur et de la dépasser.

— Prends ton temps, me conseille Simon avec un sourire encourageant. Mets ton pied dans l'étrier. Parfait. Maintenant, prends appui dessus pour te hisser au niveau de la selle et passe ta jambe par-dessus la croupe.

Je me cramponne au pommeau et, bien décidée à suivre ses instructions à la lettre, j'essaie de me soulever. Impossible ! J'ai le pied dans l'étrier, mais je n'arrive pas à décoller du sol. Si bien que je sautille lamentablement sur une jambe. Je dois avoir l'air d'une débile totale. Ouf, Simon vient à mon secours : d'une simple poussée, il me propulse en selle. Et me voilà à cheval. À trois kilomètres du sol. Terrifiant ! Mais, une fois que j'ai réussi à retrouver mon équilibre, trop cool.

Tanya ressort des écuries avec deux chevaux : un gris et un noir, pendant qu'Hélèna disparaît à l'intérieur, probablement pour aller chercher le sien.

Simon prend les rênes du cheval gris.

— Le temps que je monte sur Prince et on pourra partir. Ne bouge pas, Tasha.

Pas de problème. Je n'ai aucune intention d'aller où que ce soit.

Wwwwo wwwwwwwooooooooooh !

Pourtant j'y vais !

Heddie s'est mis en tête d'aller boire un verre et le voilà qui fonce en direction de l'abreuvoir, dans la petite ruelle pavée par laquelle nous sommes arrivés. Je ferme les yeux.

Ça y est. Il s'est arrêté. J'ouvre un œil.

Wwwwwwwwwooooooooooo !

Sans prévenir, Heddie se penche pour se désaltérer et je me sens soudain glisser vers l'avant. Je m'agrippe de toutes mes forces à sa crinière pour ne pas basculer. Évidemment, c'est le moment que choisit Hélèna pour sortir des écuries. J'ai droit à un regard consterné, puis elle adresse un petit signe de tête à Tanya qui la suit aussitôt en direction de la route menant au parc.

— Attendez-nous ! crie Simon, avant de me rejoindre au petit trot. Tu t'en sors très bien, Tasha. Maintenant, tire un peu sur les rênes pour que ton cheval se redresse.

J'ai beau faire ce que me dit Simon, Heddie ne veut rien savoir. Je recommence. Toujours pas de réaction. Simon me prend alors les rênes des mains et hop ! voilà mon Heddie qui se redresse bien gentiment.

— Les chevaux sentent quand on n'est pas tout à fait à l'aise, m'explique Simon.

— Moi ? Pas à l'aise ? Peuh ! J'ai l'impression d'avoir fait ça toute ma vie !

En réalité, je n'en mène pas large. Heureusement que je suis assise : je tremble tant que mes genoux s'entrechoqueraient, sinon.

Mme Creighton arrive alors à la rescousse.

— Je vais mener ta monture jusqu'à l'entrée du parc, m'annonce-t-elle avec un regard bienveillant. Je reconnais que chevaucher à côté des voitures puisse se révéler assez éprouvant. Surtout quand on monte pour la première fois.

Merci mon Dieu ! Je ne sais pas si j'aurais pu jouer les braves encore longtemps.

Une fois dans le parc, Mme Creighton me redonne les rênes.

— Nous ne laissons jamais un débutant monter sans être accompagné d'un moniteur, m'informe-t-elle. Mais nombre de mes élèves ont appris à monter avec Simon, je te laisse donc entre de bonnes mains.

— Merci, madame.

— Ne t'imagine pas que tu vas galoper aujourd'hui, m'avertit Simon après son départ. Essaie juste de sentir ton cheval, de te familiariser avec ses réactions et de trouver une position confortable.

— Ne t'inquiète pas. Je crois que Heddie m'a déjà adoptée.

— Bon. Alors, je vais voir ce que fait Tanya. Elle a un peu tendance à jouer au cow-boy, surtout quand elle est avec Hélèna qui monte en concours hippique depuis des années. Léna aime bien éblouir son monde. Et Tanya se laisse facilement entraîner. J'en ai pour deux minutes.

— Aucun problème.

— Tu ne bouges pas, hein ?

Pas de danger !

Tandis qu'il s'éloigne au petit galop pour disparaître dans la courbe d'un virage, Heddie part sur la gauche, puis s'arrête net pour brouter l'herbe qui pousse sur le bas-côté. Une fois de plus, je dois me cramponner pour ne pas atterrir dans le superbe massif de rhododendrons qui me tend les bras. Je serre les genoux et tire un coup sec sur les rênes.

— Heddie ! Ce n'est pas dans le scénario ça. Allez, redresse-toi ! Ne fais pas ta mauvaise tête !

Mais Heddie continue à mâcher comme si de rien n'était.

— Ah ! je vois ! Môssieu fait la sourde oreille.

Je tire de plus belle sur les rênes. Résultat : nul. Heddie ne bouge pas d'un poil.

Pour avoir vu *L'homme qui murmurait à l'oreille des chevaux*, je sais qu'il vaut mieux ne pas s'énerver et, surtout, ne pas devenir agressif. La douceur avant tout. Il ne me reste donc plus qu'à exercer mes dons de chuchoteuse auprès de cette fichue tête de mule.

Je me penche pour le caresser et je lui murmure à l'oreille :

— Allez, mon garçon. Gentil garçon. Charmant garçon. Sois mignon, redresse-toi.

Pas de réaction. Peut-être qu'il ne parle pas la même langue que moi.

J'improvise :

— Hop là ! *Come on* hop ! *Go über. Muchos gracios stop mangiare grass.*

J'entends alors un grand rire derrière moi.

— Qu'est-ce que tu es en train de faire ? se marre Simon.

— Grrrr ! Un remake de *L'homme qui murmurait à l'oreille des chevaux.* Ça ne se voit pas ?

Il explose de rire.

— Tasha, tu m'éclates ! Est-ce que Heddie te fait des misères ?

— Pas vraiment. Il a juste décidé que c'était l'heure de dîner.

Une fois de plus, il suffit à Simon de me prendre les rênes des mains pour que Heddie se redresse sans faire d'histoires.

— Maintenant, tiens bien les rênes, sans t'y agripper, juste pour guider ton cheval, me conseille Simon. Assieds-toi confortablement dans ta selle, le plus en avant possible, bien droite. Ne t'enfonce pas dans les étriers. Ils doivent soutenir le tiers avant du pied. Quand tu as trouvé ton équilibre, donne un léger coup de talon et, dès que ton cheval prend le petit trot, soulève-toi en essayant de suivre son rythme : en haut, en bas ; en haut, en bas.

38

Il joint le geste à la parole et nous voilà partis. Après quelques cahots maladroits, je réussis à prendre le coup. En haut, en bas. En haut, en bas. Impec'.

Au moment où on prend un virage à droite, j'aperçois dix mètres devant moi, sur la gauche, un arbre dont les branches s'avancent en travers du chemin. Simon se déporte sur la droite pour le contourner. J'essaie d'en faire autant avec Heddie. Mais non. La tête de mule ne veut rien savoir. Il se dirige tout droit sur la branche. Ou, plutôt, en ce qui le concerne, SOUS la branche. Je vais me la prendre en plein dans le ventre.

— Simonnnnnnnn !

Me voilà suspendue dans les airs, pendant que Heddie continue son petit bonhomme de chemin sans moi.

Simon se retourne et ouvre des yeux effarés.

Perchée sur ma branche, je suis soudain prise d'une crise de fou rire.

Je glousse :

— Ce n'est pas que je veuille me raccrocher aux branches, mais je crois que Heddie a décidé de faire cavalier seul !

Simon saute aussitôt à terre pour venir m'aider. Et, tout à coup, le voilà pris d'un fou rire monumental, lui aussi.

— Les branches sont basses ! s'esclaffe-t-il. Oh ! je regrette de ne pas avoir d'appareil ! Je pourrais mettre la photo dans mon album avec la légende : *Tasha apprend à monter à cheval*.

— Ou *Tasha joue les branchées* !

— C'est vrai que ça a l'air de te « brancher » l'équitation, finalement !

— À qui le dis-tu, vieille branche ?

On est pliés de rire quand la reine Hélèna apparaît devant nous, trottant fièrement sur son beau destrier blanc.

— Nous nous demandions s'il ne vous était pas arrivé quelque chose, dit-elle, l'air dépitée en constatant qu'on s'amuse sans elle comme des petits fous. Que faites-vous, donc ?

Je lui réponds, pince-sans-rire :

— Oh ! rien. Simon était juste en train de me brancher...

Et nous revoilà partis à rire comme des baleines.

Simon lui raconte alors ma mésaventure et Hélèna se met à glousser. Mais ce n'est pas du comique de la situation qu'elle rit : c'est de moi.

Et sa raillerie me touche plus que je ne le voudrais. Après tout, elle pratique l'équitation depuis des années : elle pourrait se montrer un peu plus indulgente, surtout avec quelqu'un qui monte à cheval pour la première fois.

Et, soudain, c'est l'illumination. J'ai compris ! Il doit y avoir quelque chose entre elle et Simon : ou elle est amoureuse de lui, ou ils sont sortis ensemble et elle ne supporte pas de le voir avec une autre. Qu'est-ce qui a bien pu se passer ?

LE JOURNAL DE TASHA

Aujourd'hui, j'ai fait du cheval. *Absolutely fabulous !* Simon est un super cavalier. Et puis, il est hyper-sexy avec ses bottes d'équitation. Ensuite, on est allés boire un cappuccino au Dôme. Après nous avoir collés trois heures, sa sœur et sa copine pur sang Hélèna (je lui ai trouvé un super surnom : Hélènaze) ont enfin compris et nous ont lâchés. Pas trop tôt ! Elles ont une façon de parler ! Carrément démente. Simon et Tanya, ça passe encore. Mais, à entendre Hélèna, on croirait qu'elle a une balle de ping-pong coincée en travers du gosier. Pardon, du « gosiâ ».

Simon et moi avons échangé notre premier baiser dans le métro. Excellent ! Doux. Tendre. Un bon 8 sur 10. Pas mal pour un début. On n'a pas insisté parce qu'il y avait un troupeau de touristes qui nous regardaient. Il y en a même un qui nous a pris en photo. Il ne manquait pas d'air, celui-là ! Surtout qu'elle vaudra une fortune, cette photo, dans quelques années, quand je serai devenue méga riche-et-célèbre...

4

LES ARISTOCHATTES

— Mais, Maman...

— Il n'y a pas de « mais », Tasha. Je pensais avoir été assez claire...

— C'est essentiel d'avoir la tenue réglementaire ! Il faut que je sois à la hauteur, tu comprends. Ce moment est le plus crucial de toute mon existence.

Maman éclate de rire.

J'insiste lourdement :

— Je te jure. C'est hyper-grave pour moi.

— Non, Tasha. N.O.N.

— S'il te plaît, Maman. Je ne te demanderai plus jamais rien, promis. Même qu'à partir d'aujourd'hui, c'est moi qui débarrasse.

Et, sur ces bonnes paroles, je retrousse mes manches pour mettre la vaisselle dans la machine.

Maman passe l'éponge sur la table en soupirant.

— Tasha, je sais que c'est difficile pour toi, mais, tant que l'avenir demeurera aussi incertain, il n'en est pas question. Un jean et un T-shirt feront parfaitement l'affaire.

— Ce n'est pas juste ! Pourquoi faut-il qu'on se retrouve à court d'argent pile au moment où je deviens copine avec des gens qui sont riches à millions !

— Redescends sur terre, ma petite fille. Depuis quand la vie est-elle juste ?

— Maman ne veut pas comprendre !

J'ai retrouvé les filles chez Lucy.

À peine arrivée, je vide mon sac :

— Elle pourrait vendre quelque chose, au moins ! Sa voiture, ses bijoux, ou je ne sais pas, moi !

— Tasha ! s'offusque Lucy.

— Oh ! ne fais pas cette tête. Je plaisantais. Non, pas sa voiture, bien sûr. Mais il y a sûrement quelque chose d'autre dont on pourrait se débarrasser pour que je puisse avoir une vraie tenue d'équitation. Enfin ! il faut avoir le bon look si on veut être pris au sérieux.

— Ah oui ? lâche une voix étouffée derrière le canapé. Cette histoire de « sans tenue réglementaire, pas de vrai cavalier », c'est du bluff. Qui prétend que tu dois porter ci et ça, sinon tu te fais jeter ? Héléna et compagnie ? Tu tiens ça d'une petite snobinarde qui joue la star. Et tu la crois ?

Je me penche par-dessus le dossier du canapé.

43

— Qu'est-ce que tu fabriques, Liz ?

Coincée entre le canapé et le mur, Lizzie fait le poirier.

— Posture de yoga, m'explique-t-elle. Je suis censée me faire monter le sang à la tête dix minutes par jour pour irriguer mon cerveau. Excellent pour se déstresser.

À mon avis, ce serait plutôt le contraire, mais chacun son truc. Je préfère me taire et m'installer confortablement dans le canapé pour me faire les ongles, comme une personne sensée que je suis, moi.

— Il me semble avoir aperçu une paire de jodhpurs dans la chambre d'ami, poursuit Voix-Derrière-le-Canapé. Sans doute un petit souvenir laissé là par une des Méchantes Belles-Filles après leur déménagement. Tu veux que je regarde, en rentrant ce soir ?

« Les Méchantes Belles-Filles », c'est le surnom que Lizzie a donné aux filles de son beau-père : Claudia et Amélia. Des vieilles d'au moins vingt-deux, vingt-trois ans.

— Évidemment ! Ce serait super-cool, parce que, tu sais, c'est carrément l'horreur d'être pauvre.

Ça fait tellement marrer Lizzie qu'elle se vautre sur la moquette.

— Toi, quand tu as décidé de dire n'importe quoi, tu ne fais pas les choses à moitié ! s'exclame-t-elle en réapparaissant derrière le canapé. Être pauvre, c'est n'avoir rien à manger. Pas de toit. Pas un seul vêtement à se mettre.

— Rien à se mettre, c'est tout à fait ça.

Lizzie secoue la tête en soupirant.

— Je ne parle pas de fringues branchées !

— N'empêche. Tu sais très bien comment ça se passe au lycée : si tu n'as pas les bonnes baskets, tu te fais descendre.

— Et alors ? Ceux qui te descendent pour un truc aussi débile que la marque de tes baskets sont des tarés finis.

— Et tu ne laisserais pas des nuls pareils t'entamer le moral, hein ? renchérit Lucy.

Je hausse les épaules. Je joue toujours les filles qui assurent, au lycée. Mais, parfois, je suis un peu obligée de me forcer...

— Comment tu fais, toi, Lucy ?

— Co... comment ça ? s'étrangle Lucy, sidérée. Même si on ne roule pas sur l'or à la maison, on n'en est tout de même pas à faire la mendicité !

— Tasha ! m'incendie Lizzie. On ne t'a jamais dit qu'il fallait réfléchir avant de parler !

Liz et Lucy se connaissent depuis le primaire. Alors que moi, je ne suis arrivée au lycée qu'en septembre dernier. Dès qu'elle a l'impression qu'on l'agresse, Lizzie prend systématiquement la défense de Lucy.

— C'est bon, murmure Lucy. Ça ne m'a pas vexée.

Pas question de me faire absoudre d'une faute que je n'ai pas commise.

— Je n'insultais personne, Lizzie, je te jure ! Je voulais juste un conseil. Il n'y a pas de mal à ça. On sait bien que Lucy a moins d'argent de poche que nous. Et qu'elle ne peut pas dépenser autant que nous dans les fringues.

— Peut-être que Lucy n'a pas envie que tu le cries sur les toits, non plus.

— Si je vous gêne, faut le dire ! grogne Lucy. Je vous signale que c'est de moi que vous parlez, et je suis là, au cas où vous ne l'auriez pas remarqué. Je m'en fiche que mes parents ne soient pas aussi friqués que les vôtres. Oh pardon, Tasha ! Que ne l'*étaient* les tiens. Et puis, vous savez bien comment je me débrouille : je les fais moi-même, mes fringues. Et je fais du baby-sitting, quand j'ai besoin d'un petit extra. Pourquoi tu ne garderais pas des enfants, Tasha ?

— Tu rêves ! Ça ne paie pas le baby-sitting. J'ai besoin de beaucoup plus d'argent que ça !

Cette fois, Lucy a l'air vexée et Lizzie me balance un regard noir, genre « Touche encore à ma copine et je te tue ».

— Quoi ?

— Tu n'es pas si malheureuse que ça, me sermonne Lizzie. Pour ceux qui ont de vrais soucis financiers, tout travail est bon à prendre, figure-toi. Et, pour ton information, on peut se faire pas mal d'argent avec le baby-sitting.

Oh oh ! L'ambiance commence sérieusement à se détériorer. Une seule façon de détendre l'atmosphère : faire l'imbécile.

Je prends mon ton le plus aristocratique et je leur offre ma sublime imitation de Lisa. (Élisabeth, notre souveraine bien-aimée.)

— Oh ! s'il vous plääää ! Nous tentions juste d'exprimä, de la sorte, que nous pouvions assurément trouvä d'autres solutions au problème qui nous préoccupä.

Ouf ! Elles éclatent de rire.

— Écoute, je sais que c'est dur, compatit Lucy. Surtout quand tu as vraiment envie d'un truc et que tu ne peux pas te le payer. Moi aussi, j'ai voulu prendre des cours d'équitation, il y a deux ou trois ans. Sauf que ça coûtait trente livres[1] la leçon. Impossible pour mes parents de me donner une somme pareille.

— Et alors ? Comment tu as fait ?

— J'ai fait une croix dessus.

— Eh bien, quand je serai riche-et-célèbre, je te les offrirai, tes leçons d'équitation.

— Tu as de la chance avec Simon, pour toi, c'est gratuit, me fait remarquer Lizzie, tout en croisant les jambes pour faire le lotus.

— Et pourquoi vouloir impressionner une

---

1. 1 £ = environ 1,59 euro. (Contrairement aux autres pays de la Communauté européenne, le Royaume-Uni n'est pas passé à l'euro.) *(N.d.T.)*

petite snobinarde comme Hélèna ? me raisonne Lucy. Après tout, Simon s'en fiche que tu te pointes en bottes Gucci ou pieds nus, ça lui est bien égal. C'est le principal, non ?

— Je veux lui montrer qu'elle ne m'intimide pas. Que je suis aussi bien qu'elle.

— Pourquoi ? rétorque Lizzie. Elle n'est même pas sympa.

— Liz a raison, renchérit Lucy. Tu te souviens de cette citation, sur une des Cartes-Conseil de Maman, l'an dernier ? *Personne ne peut vous rabaisser sans votre permission*. Dire que tu veux être aussi bien que Hélèna, c'est comme dire que tu la trouves mieux que toi. C'est comme si tu lui donnais la permission de te rabaisser.

Je ne sais plus vraiment où j'en suis, moi. Et puis, j'en ai marre de parler de Hélènaze. Je croyais que Liz et Luc' auraient compris. Mais elles sont complètement à côté de la plaque.

Je préfère zapper :

— Oh ! vous êtes trop fortes pour moi. Alors, on se la regarde, cette vidéo ?

On passe l'heure qui suit scotchées devant l'écran. Un documentaire sur un certain Monty Roberts. C'est le type dont est inspiré le personnage de Robert Redford dans *L'homme qui murmurait à l'oreille des chevaux*. Sauf que, pour Monty Roberts, ce n'était pas du cinéma. Lucy s'est fait offrir la cassette à Noël, quand elle était encore dans sa phase « *Le cheval, moi, c'est mon dada* ». (Ah ! ah !)

Pendant le défilement du générique, je tente une brève récapitulation :

— Donc, si j'ai bien compris, le truc, c'est de ne jamais regarder le cheval dans les yeux parce qu'il prend ça pour une provocation ?

— Et de lui faire comprendre que tu ne constitues pas une menace pour lui, me confirme Lucy.

— Se montrer amical, tout en restant sûr de soi, comme avec les humains, enchaîne Lizzie, qui se décide enfin à abandonner sa posture de yogi.

Mais, comme elle est restée nouée sans bouger plus d'une heure, quand elle veut se lever, elle retombe aussitôt, les quatre fers en l'air.

Je pouffe :

— Et ça, c'est quoi comme posture, au juste ? Le chien-chien qui veut faire guiliguili ?

— Si tu as peur, le cheval le sent, poursuit Lucy en haussant la voix pour couvrir les gémissements de Lizzie qui se roule sur la moquette. Et ça lui fiche la trouille. Donc, le truc, c'est de rester zen.

J'approuve avec enthousiasme :

— Sang-froid et assurance, c'est tout moi !

— Cool ! raille Lizzie, entre deux grognements. Oh ! Argh ! L'horreur ! J'ai des fourmis dans les jambes ! Au secours ! Je souffre le martyre !

Vachement déstressant, comme pratique, le yoga !

— On se fait une autre vidéo ? propose Lucy. Je marmonne :

— Chpeux pas. J'ai un rendez-vous.

— Où ça ? s'enquiert Lizzie.

— J'ai dit à Simon que je le retrouverais devant le ciné de King's Road à six heures et demie.

— À six heures et demie ! s'écrie-t-elle en me braquant sa montre sous le nez. Tasha, il est déjà cinq heures et quart !

— Oh non ! Moi qui voulais retourner à la maison me changer !

— Tu ferais mieux d'y aller directement, me conseille Lucy tout en aidant Liz à s'asseoir. Il te faut au moins une heure pour arriver là-bas.

En plus, il pleut des cordes. Je regarde Lucy et Liz confortablement pelotonnées sur le canapé. Pour un peu j'annulerais mon rendez-vous. Une soirée avec les filles, bien au chaud... Surtout que les frères de Lucy ne vont pas tarder et on ne s'ennuie pas avec eux.

Je compose le numéro de Simon sur mon portable.

— Zut ! Il est sur messagerie.

— Vas-y, me presse Lucy. Tu ne voudrais quand même pas lui poser un lapin.

— Venez avec moi, alors. Au cas où les aristochattes seraient de la fête.

— Les « aristochattes » ? répète Lucy.

— Tanya et sa charmante copine Hélèna.

Lizzie jette un œil par la fenêtre et grimace.

— On t'accompagne jusqu'au métro, décrète Lucy. C'est sur le chemin du Pizza Hut. Liz, prends un des parapluies dans l'entrée en passant. Tu veux que je te prête ma veste, Tasha ? Tu vas te geler en T-shirt.

Elle me tend sa veste argent. Elle est dix fois trop petite pour moi !

— Emprunte celle de Lal ou de Steve, me propose-t-elle en me présentant deux horreurs d'anoraks.

— Je ne tiens pas à me pointer là-bas avec un look de sous-naze décérébrée.

Sans insister, Lucy enfile l'anorak de Steve, tandis que Lizzie prend celui de Lal.

Je ne suis pas dehors depuis cinq minutes que je suis déjà trempée.

— Prends une veste, Tasha. Tu vas mourir de froid. Laquelle tu veux ? La marron ou l'orange ?

Pas le choix.

— La marron.

Marron ! Ma réputation de Fashionista est fichue !

J'espère que Simon mesure tous les sacrifices que je fais pour lui. Quand j'émerge à la station

« Sloane Street », j'ai déjà fait plus d'une heure de métro. Parce qu'il a fallu que je tombe amoureuse d'un garçon qui habite à l'autre bout de la planète, forcément !

Je me précipite vers l'arrêt de bus, en essayant de m'imaginer un film où l'héroïne court sous la pluie pour rejoindre son bien-aimé. En cas de mauvais moment à passer, il suffit souvent de se mettre dans la peau de quelqu'un qui se trouve confronté à la même situation pour que tout s'arrange. Mais j'ai beau chercher, aucun navet n'est assez nul pour que la star féminine se coltine la traversée de Londres sous des trombes de flotte, affublée d'un anorak aussi immonde.

Ouf ! Le bus arrive quelques minutes plus tard. En montant, je demande au chauffeur de m'avertir quand on passera devant le cinéma, et je m'assieds derrière lui. Pendant le trajet, je rêvasse en regardant défiler les cafés et les boutiques de King's Road.

— Cinéma ! crie le chauffeur.

Je descends. Pas de Simon ni d'aristochattes à l'horizon. Vite ! Enlever cette horreur de truc importable. Hors de question qu'ils me voient avec ça sur le dos !

Les minutes passent. J'espère que je ne les ai pas ratés. J'étais en retard de dix minutes au rendez-vous. Ils m'auraient attendue, tout de même, non ?

Cinq minutes plus tard, la même, transie. Dix minutes plus tard, idem. Je me congèle sur place. Cet après-midi aura été un flop total ! Je renfile mon anorak et je retourne vers l'arrêt de bus.

— Tasha !

C'est la voix de Simon. Je me retourne vers le trottoir d'en face et je le vois qui me fait de grands signes. Il traverse aussitôt.

— Je suis tellement désolé, halète-t-il, le souffle court. Avec cette circulation, impossible de trouver une place.

— Tu attends depuis longtemps ? me demande Hélèna, en nous rejoignant.

À voir la petite étincelle qui luit dans ses yeux, rien ne lui ferait plus plaisir que de me savoir plantée là depuis cent sept ans.

Je lui réponds avec un grand sourire, avant de me tourner vers Simon :

— Non. Je viens d'arriver. C'est génial pour faire du shopping, ici ! C'est la première fois que je viens. J'hallucine.

Du coin de l'œil, j'aperçois Hélèna qui prend un air dégoûté. Un de ces jours, il faudra que je lui demande quelle est cette insupportable odeur qui lui fait froncer le nez chaque fois qu'elle me voit.

— Oh ! C'est *has been*, crache-t-elle avec dédain. De toute façon, en dehors de Notting Hill, je ne vois vraiment pas où l'on peut s'habiller à Londres, cette saison.

Elle me détaille avec consternation et ajoute :

— Je suppose que tu n'y es jamais allée non plus.

Avec son spencer de cuir blanc et la paire de boots la plus démente que j'aie jamais vue, elle a vraiment un look d'enfer, il faut bien le reconnaître. C'est vrai aussi qu'à côté mes baskets trempées ne font pas franchement glamour.

— Comment es-tu venue ? demande Simon.

— D'abord en métro, puis en bus. Une véritable odyssée !

— En bus ! s'écrie Hélèna avec un petit rire méprisant.

Ah ! C'est reparti !

— Comment veux-tu faire autrement quand on arrive du nord de Londres ?

— On prend un taxi, cela va de soi !

Je ne suis pas d'humeur à supporter ses piques, aujourd'hui.

Et je lui lance, en prenant mon accent le plus jet-set :

— Ma chärrrrie, le bus ä le taxi du XXIᵉ siècle ! La voiture, c'est tellement *nineties* ! Non, le bus, c'est hyper tendance, tu vois. Le must le plus *hype* du moment, je t'assssssssure.

Simon est mort de rire.

— Absolument, ma chärrrrrie, renchérit-il. Tu devrais prendre le 88. C'est mon präfärä. Il est mor-täl !

Même Tanya ne peut pas s'empêcher de pouffer. Notre chäääre Hélènaze n'apprécie pas la plaisanterie. La mine renfrognée, elle prend Tanya par le bras et l'emmène vers la machine à pop-corn.

— C'est ça que j'adore chez toi, me complimente Simon.

— Ça quoi ?

— Ton assurance. Tu as une telle confiance en toi !

S'il voyait ce qui se passe dans ma tête ! Je suis bien loin d'être aussi sûre de moi. La preuve : cette maudite Hélèna réussit vraiment à me prendre la tête. Lucy a raison : je lui ai donné le droit de me rabaisser.

Bilan. L'attitude que Simon admire tant ? Une attitude, justement. Du cinéma ! Rien que du cinéma !

LE JOURNAL DE TASHA

Après avoir déposé les aristochattes chez lui, Simon m'a raccompagnée en voiture. Il habite une grande maison blanche, cachée au bout d'une allée, derrière de hautes grilles noires, à Holland Park. Drôlement huppé comme quartier ! Il m'a proposé d'entrer, mais je ne me sentais pas prête à rencontrer ses parents. Surtout pas en jean et encore moins avec l'anorak de Lal sur le dos !

Simon m'a dit qu'ils possédaient une autre propriété dans le Wiltshire où ils élèvent des chevaux. Je lui ai répondu que nous, il n'y a pas si longtemps, on élevait des hamsters. Il a carrément explosé de rire.

Pourtant j'étais sérieuse, pour les hamsters.

Sa BMW Z3 a un tableau de bord de vaisseau spatial. Top-classe ! Il a mis les Manic Street Preachers à fond et, quand il s'est garé dans ma rue, on est restés des heures dans la voiture à s'embrasser. Jusqu'à ce que Tony frappe à la vitre : la trouille de ma vie !

J'ai décidé de raccourcir le surnom d'Hélènaze en LNaz. Tanya est beaucoup plus cool que LNaz, plus sympa aussi. Je lui ai demandé où elles allaient pour acheter leurs fringues et elle m'a répondu « un peu partout ; chez Harrod's, Gucci ou Saint Laurent dans Bond Street (la rue des Chanel, Hermès, Versace et compagnie). Mais, le plus souvent, dans les boutiques des designers, autour de Portobello Road ».

Je vais à Notting Hill avec les filles, demain. J'ai hâte parce que c'est un quartier de Londres où je ne suis encore jamais allée.

Ah ! si seulement je pouvais me payer de nouvelles fringues !

5

LES PRINCESSES DE PORTOBELLO

Avant de rejoindre les filles, je retire trente livres sur mon livret et en route pour le shopping ! On descend à « Ladbroke Grove », au nord de Notting Hill, pour arriver juste derrière le marché de Portobello. Selon Tanya, c'est le spot stratégique : l'endroit où sont concentrées les boutiques des « designers les plus *hype* du moment ». Si elle le dit...

— Moins snob que Knightsbridge, comme quartier, non ? commente Lucy en regardant l'enfilade de maisons blanches qui bordent la rue. Il n'y a sans doute pas autant de V.I.P. au mètre carré.

— Tout faux ! rétorque Lizzie. Derrière ces banales façades, tu trouves des stars à la pelle : Robbie Williams, Geri Halliwell... D'après ma mère, rien ne se vend à moins de quatre millions, ici.

— Argh ! s'étrangle Lucy. Il faut avoir gagné au Loto pour habiter dans le coin !

Aux rues entières de belles maisons bien alignées succèdent des magasins d'antiquités remplis d'énormes cadres dorés et de miroirs assez grands pour occuper un mur entier.

— Ça change d'Ikea, hein ? lâche Lizzie, devant une boutique encombrée de lustres ruisselant de larmes de cristal.

— Ouah ! regardez ça !

La boutique au coin de la rue s'appelle Emma Hope et je suis tombée en extase devant une paire de chaussures exposées à l'intérieur.

— Elles sont trop belles ! De vrais petits bijoux pour princesses de contes de fées.

— Pour les Princesses de Portobello, renchérit Lucy en riant.

— Les Princesses de Portobello ! J'adore ! Hélèna et Tanya tout craché. Ça leur va comme un gant.

Lizzie pousse un sifflement en se figeant devant la vitrine de chez Joseph, un peu plus loin.

— Bien vu, les filles ! Il faut au moins appartenir à la famille royale pour s'acheter des trucs à ce prix-là !

Et nous voilà parties pour une séance de lèche-vitrines intensif. Lizzie et Lucy doivent quasiment m'arracher aux devantures. En arrivant au bout du trottoir, je m'arrête net.

— Mmmm ! Voilà qui est intéressant !

— Ah ! non, non, non, bougonne Lucy. Moi, je ne mets pas les pieds là-dedans.

— Pourquoi ?

— Trop guindé. Et puis, il n'y a personne.

— Oh ! ne sois pas bête !

Je la tire par le bras pour monter les marches. Je pousse la porte. Sans résultat. Derrière le comptoir, une fille mince comme un fil lève les yeux de son ordinateur pour m'indiquer, par gestes, que je dois sonner avant d'entrer.

J'appuie sur le bouton et la porte s'ouvre avec un « bzzz » électronique très high-tech.

— Je vais faire un tour au marché, prétexte Lucy en reculant brusquement. Je vous retrouve tout à l'heure.

Mais je la pousse dans le magasin en lui chuchotant à l'oreille :

— Qu'est-ce que tu me racontais, déjà, à propos de ces gens qui ne pouvaient nous rabaisser qu'avec notre permission ? Tu as le droit d'entrer ici, comme tout le monde, Lucy. Et puis tu auras sans doute une boutique de ce genre à ton nom, quand tu seras devenue une mégastar de la mode.

— Ça, ça m'étonnerait ! répond-elle dans un murmure en jetant un coup d'œil circulaire. Mes clients seront toujours les bienvenus et je ferai en sorte qu'ils le sentent, moi.

C'est vrai qu'avec cette déco chrome-béton minimaliste, l'endroit n'est pas franchement accueillant. Et je ne parle même pas du regard soupçonneux de la vendeuse. En revanche, les fringues sont à mourir. On fouille au hasard. Il y a des tonnes de trucs qui me plaisent, ici. Et j'aimerais vraiment porter quelque chose de spécial pour mon prochain rendez-vous avec Simon... Jusqu'à maintenant il ne m'a vue qu'en jean-baskets.

— Tu parles d'une arnaque ! lance Lizzie en me montrant la jupe qu'elle vient de décrocher. Cent quatre-vingt-cinq livres pour un malheureux bout de coton !

— Peut-être les articles de ce rayon vous intéresseront-ils davantage, nous susurre la vendeuse en arrivant derrière nous, le doigt pointé vers un coin du magasin. Ils sont en solde.

Nous suivons docilement la direction indiquée.

— Oh la vache ! hurle soudain Lizzie en sortant du rayon une petite robe bustier. Lucy, viens voir ! Je parie qu'il ne te faut même pas cinq minutes pour en faire une comme ça. Quatre-vingt-cinq livres ! Et après réduction !

La honte !

Pour quelqu'un qui pique toujours des crises parce que j'ai, paraît-il, la langue trop bien pendue ! Elle, quand elle s'y met, c'est version « Son numérique, écran panoramique » !

Je préfère aller voir le rayon chaussures. Je repère tout de suite une paire de boots : la copie conforme de celles que portait LNaz hier. Petit coup d'œil sur le prix... Glups ! Quatre cent quatre-vingt-quinze livres ! Presque une année d'argent de poche ! Et ce ne sont que ses boots ! Je ne veux même pas imaginer pour combien LNaz en avait sur le dos...

Pendant tout ce temps, la vendeuse ne nous lâche pas d'une semelle, comme si elle avait affaire à une bande de gangsters venus dévaliser sa boutique. Et, soudain, j'ai un flash : cette scène de *Pretty Woman* où Julia Roberts fait du shopping sur Rodeo Drive, dans toutes ces boutiques hyper-classe de Hollywood. Les vendeuses la toisent de haut et elle se laisse intimider. Et puis, elle revient avec Richard Gere et elle leur en met plein la vue en achetant la moitié du magasin.

C'est mon rôle du jour. Je rejette mes cheveux en arrière et je lance d'une voix forte, en prenant les filles à témoin :

— Pas vraiment notre style, n'est-ce pas ? Appelons plutôt un taxi pour aller demander à Papa s'il ne veut pas nous emmener à Paris à bord de son jet privé.

Lizzie et Lucy me regardent avec des yeux ronds. Et puis, Liz finit par percuter.

— *Exactly !* Excellente idée, ma chärrrrie, me répond-elle d'un ton plus snob tu meurs. Ici, c'est *so... so...*

62

Nous fronçons toutes les deux le nez d'un air dédaigneux et achevons en chœur :

— *Nineties* !

Et nous quittons la boutique, démarche impériale et mine de diva offusquée. Lucy nous emboîte le pas, en trottinant, genre petite souris qui veut se faire oublier. Elle donnerait manifestement n'importe quoi pour être ailleurs. Pauvre Lucy ! Elle pique un de ces fards ! Monstrueux de chez monstrueux.

À peine passé la porte, on court comme des dératées jusqu'au coin de la rue et on s'écroule contre le mur, pliées de rire.

Je glousse entre deux hoquets :

— Vous avez vu la tête de la vendeuse !

— Difficile de faire autrement, répond Lucy en me filant un coup de coude. Toi alors ! Pour me coller la honte devant tout le monde, tu es la reine !

— Oh ! si on ne peut plus s'amuser ! la charrie Lizzie. Sans blague, tu parles d'une arnaque, cette boutique !

Je tempère :

— N'empêche, il faut bien reconnaître que, question fringues, c'est quand même la gamme au-dessus.

— Et alors ? rétorque Lizzie. Suppose que tu puisses t'acheter une de ces fringues. Ça va te satisfaire un moment. Pourtant, ce n'est pas ça qui va te rendre heureuse.

— Tu veux en venir où, là ?

— C'est un truc bouddhiste, m'explique Lucy. Liz est devenue bouddhiste, comme Ben. Elle m'a tout raconté hier, pendant que tu étais au ciné.

Je me marre.

— Pourquoi ? On ne peut pas se fringuer top-classe quand on est bouddhiste ?

— Oh ! L'un n'empêche pas l'autre, concède Lizzie. Tu peux être bouddhiste et porter ce qui te plaît. Simplement, le bouddhisme enseigne que le désir est à l'origine de toute souffrance. Et surtout, que le désir est sans fin. Tu vois, tu achètes un truc : tu es contente pendant un moment. Jusqu'à ce que naisse un autre désir. Et te revoilà en manque. Jusqu'à ce que tu puisses satisfaire ce nouveau désir. Et ainsi de suite...

— Possible. Et alors ?

Elle pousse un soupir excédé.

— Ben dit qu'ici, en Occident, c'est le désir qui a perdu les gens, que nous nous noyons dans le matérialisme.

Je regarde la vitrine de la boutique ultra-tendance devant laquelle on est en train de passer et je me pâme :

— Je me noierais bien là-dedans sans problème, moi...

— Si on allait plutôt jeter un coup d'œil au marché, hein ? supplie Lucy en me prenant par le bras. Les boutiques-musée, j'ai déjà donné et je ne crois pas que je pourrais supporter une deuxième visite guidée.

Je me laisse entraîner sans broncher. Lizzie me prend l'autre bras et nous revoilà parties. Direction : Portobello Road.

Deux heures entières à déambuler dans le marché aux puces de Portobello : deux heures d'éclate totale ! La rue était noire de monde. Des gens qui, comme nous, regardaient avec curiosité les marchandises de toute sorte exposées sur les étals multicolores. Et, cette fois, il y avait de bonnes affaires à saisir. Des cachemires, des bijoux, des cadres, des antiquités, de la fripe, des C.D... bref de tout.

Lucy s'est acheté une robe années quarante à un stand de fringues *vintage* – une vieillerie taillée dans un voile de soie crème aérien. Elle compte utiliser le tissu pour réaliser un truc qu'elle a en tête. Elle veut devenir styliste, après le bac. Elle a vraiment un talent fou et déjà un style très particulier. J'en suis sûre : dans quelques années, tout le monde saura reconnaître au premier coup d'œil un vêtement griffé Lucy Lovering.

À un stand indien, Lizzie a fait l'acquisition d'une paire de tongs roses rebrodées de perles et de paillettes. Plus bab' tu meurs ! Quant à moi, je me suis payé un hallucinant petit sac transparent ourlé de plumes roses. L'accessoire hypernana. Le tout pour la modique somme de quatre livres quatre-vingt-dix-neuf !

Sur le chemin du retour, j'ai offert une petite démonstration aux filles : balancement de ma super trouvaille dans le creux du coude en rythme avec un déhanchement à la Marilyn Monroe revue et corrigée par Madonna.

— Poupoupidou !

Succès garanti !

★

Vers quatre heures, nous décidons de faire les grands magasins de Kensington High Street. Après plus d'une heure à piétiner devant des portants de fringues inabordables, même une shopping-victime comme moi commence à être sur les rotules.

Ce qui ne m'empêche pas de dire aux filles, en les entraînant dans une rue transversale, derrière la station de métro :

— Un dernier arrêt avant de rentrer. Il y a une boutique qui vend l'attirail du parfait cavalier dans le coin. Simon m'en a parlé. Un must du genre, paraît-il.

— En tout cas, n'achète pas de jodhpurs, me recommande Lizzie. J'ai retrouvé ceux de Claudia. Je viendrai avec chez toi.

Nous apercevons la fameuse boutique, de l'autre côté d'une place avec, au centre, une sorte de petit parc planté de magnolias en fleurs et, bien rangées autour, tout un chapelet de super propriétés grand luxe.

— Ça doit coûter hyper-cher d'habiter ici, lâche Lizzie en jetant un coup d'œil par la fenêtre d'une des maisons jouxtant la boutique.

Un vrai décor de cinéma : murs lambrissés de chêne sombre, immenses toiles de maître et lourdes tentures carmin.

Une puissante odeur de cuir nous saisit dès que nous franchissons le seuil du magasin. Et là, c'est le choc. Tout ce qu'on peut imaginer touchant de près ou de loin au cheval se trouve rassemblé sous nos yeux : bottes, vestes, gilets, pantalons, bombes, étriers, selles, rênes, brosses, crèmes, livres, cassettes vidéo, magazines... il suffit de demander. L'endroit est bourré de trucs d'équitation du sol au plafond.

En fait, je cherche une de ces vestes en tweed hyper-classe légèrement cintrées qui vous font une chute de reins à tomber. Mais, en découvrant le rayon, j'ai une mauvaise surprise : ce genre d'article est très au-dessus de mes moyens. À deux cents livres près... Je m'apprête quand même à en essayer une quand le carillon de la porte retentit. J'entends alors une voix qui me paraît familière... Coup de chance : on est au fond du magasin et les portants nous cachent à la vue des clients.

— Bonjour ! Je suis venue chercher ma tenue pour le concours de la semaine prochaine, lance Hélèna.

— Mademoiselle Dudley-Smythe, demande une voix sirupeuse. Comment allez-vous ? Et comment se porte Madame votre mère ?

Je ne suis pas d'humeur à me coltiner LNaz. Après avoir passé une super journée, je refuse de tout gâcher avec cette bêcheuse de première !

Je me tourne vers les filles et je leur chuchote :

— C'est LNaz. On essaie de filer en douce ?

Évidemment, il faut que Lizzie aille jeter un coup d'œil. Elle remonte une des allées, feint d'examiner les bottes et revient à pas de loup.

Je vais aux nouvelles :

— Qu'est-ce qu'elle fait ?

— Elle discute avec le propriétaire du magasin.

— Est-ce qu'on peut passer sans se faire remarquer ?

— Pas toutes les trois, non. Mais elle ne nous connaît pas, Lucy et moi : on peut quitter le magasin normalement. Le problème, c'est toi.

Un doigt sur les lèvres, elle retourne à son poste d'observation.

— O.K., murmure-t-elle en revenant. Voici le plan : ils sont sur la droite et ils ont l'air absorbés par leur conversation. Tasha, tu te places sur notre gauche, tu marches en même temps que nous vers la porte en tournant la tête de l'autre côté. Lucy et moi, on te servira de paravent. Mais c'est maintenant ou jamais. Allons-y.

On prend l'allée la plus proche de la porte, Lucy et Lizzie sur la droite et moi, marchant en crabe derrière elles. L'horreur, je suis obligée de plier les genoux parce que je suis la plus grande.

— Doucement, murmure Lizzie. Zen-attitude.

Sautillant à moitié en pas chassés, j'ai l'impression d'être John Cleese dans ce fameux sketch[1] des Monty Python où il enchaîne les démarches les plus débiles tout en restant hyper-stoïque. Tor-dant ! Sauf que ce n'est pas le moment de rigoler : on est presque arrivées. Soudain Lucy est prise d'une crise de fou rire. Elle essaie de se retenir, mais je vois ses épaules tressauter. Du coup, Lizzie commence à pouffer. Et, forcément, je m'y mets aussi. C'en est trop pour Lucy : elle explose.

Toute l'assistance se retourne dans un bel ensemble.

— Tasha ? s'écrie Hélèna.

Je plonge sur l'étalage de livres, au bord de l'asphyxie.

— Pfff ! pffff ! Ou... Oui.

Je m'efforce de me calmer : je ne voudrais pas paraître impolie.

Je me risque même à faire les présentations :

— Euh... Hélèna... Lizzie et Lucy.

1. « The Ministry of Silly Walks. » (*N.d.T.*)

— Bpfff ! Bhumpf ! Bonjouhouhouh ! hoquette Lizzie, avant de se ruer sur la porte, Lucy sur les talons.

— Vous connaissez ces jeunes filles ? s'étonne le propriétaire du magasin, manifestement outré par notre conduite.

— Plus ou moins, maugrée Hélèna d'un air dédaigneux. Qu'y a-t-il donc de si amusant, Tasha ? demande-t-elle.

Je toussote, histoire d'étouffer mes glousse-ments.

— Euh... hum... Rien, rien. Humpf ! plaisan-terie... entre nous.

J'ai presque réussi à me composer une mine impassible quand j'aperçois Lizzie et Lucy sur le trottoir.

Le visage écrasé contre la vitre, les traits défor-més par d'horribles grimaces et louchant au der-nier degré, ces deux imbéciles me font tout un tas de pitreries derrière le dos de Hélèna.

C'est plus fort que moi : j'éclate de rire.

— Humpf ! pffff ! j'dois... pffff ! y aller, Hélèna. À plus tard.

Et, tandis que je me précipite vers la porte, je l'entends cracher avec mépris :

— Certaines personnes sont d'une puérilité !

LE JOURNAL DE TASHA

Simon m'a envoyé des tonnes de textos aujourd'hui :

Et voilà le dernier apparu sur mon écran :

(* _ *)

J'ai texté aussitôt à Lizzie pour vérifier que ça voulait bien dire ce que je pensais. Gagné ! Ça signifie : « Je suis tombé amoureux » !!!!!

« Plus t'es vache, plus elles s'attachent » = la devise de mon frère. Du moins, avant qu'il ne rencontre Lucy. Parce qu'il ne s'est pas encore tout à fait remis de leur rupture. Surtout que c'est elle qui l'a largué... Bref, même si je ne veux pas être vache avec Simon, je n'ai aucune intention de lui avouer que je suis tombée amoureuse de lui. Et pourtant...

Au lieu de ça, je lui ai envoyé (OvO). Le hibou.

En guise de réponse, il s'est amusé à inverser les signes. Ce qui donne < ^ O ^ > autrement dit : « mort de rire ».

On s'est vraiment éclatées avec les filles aujourd'hui. Notting Hill, c'est le must. J'ai vu des tas de trucs que j'ai envie de m'acheter. Le problème, c'est que « nous sommes dans une situation de précarité financière, en ce moment ». (L'expression est de Tony. D'après lui, c'est une façon politiquement correcte de dire que nous sommes pauvres. Il est givré. Il a pris « Sciences politiques » comme option au bac et, depuis, il n'arrête pas de nous sortir des débilités dans ce style.) Après avoir broyé du noir, j'ai décidé qu'il fallait réagir. Et j'ai UN PLAN...

6

MO♪TIVÉ, MO♪TIVÉ

Je me lève de bonne heure – neuf heures et demie, c'est tôt pour un week-end – et je saute sur mon ordi pour regarder si j'ai reçu des e-mails. J'attends la réponse des filles à l'invitation que je leur ai envoyée hier soir :

À : Mesdemoiselles Foster et Lovering.
Objet : Petit déjeuner incentive[1].
Date : Dimanche, 10 h.
Lieu : Cuisine de Mlle Williams.
Ceux qui n'en seront pas s'en mordront les doigts.
Signé : S.A.R. Mademoiselle Tasha Williams.

Excellent ! Elles ont toutes les deux répondu qu'elles venaient. Toilette de chat et je m'habille en vitesse pour aller acheter les quotidiens du

---

1. Ce terme anglais désigne une action ou une démarche visant à motiver, stimuler les gens.

matin et les croissants. À mon retour, plan ORSEC dans la cuisine : stylos, blocs-notes, verres, tasses, soucoupes, cuillères, couteaux, marmelade, jus de fruits, thé, bols, céréales, café, lait et fruits frais.

Un peu de musique. J'allume la radio : Top ! les Destiny's Child, mon groupe préféré. Je ferme quand même la porte pour ne pas réveiller Tony qui dort encore.

Lucy arrive la première.

— J'ai apporté des muffins à la myrtille, annonce-t-elle en me fourguant d'office le sachet entre les mains. Mais j'aimerais bien savoir quelle urgence mérite qu'on sorte du lit à une heure pareille, un dimanche.

— Je t'expliquerai quand Liz sera là. En attendant, jus d'orange, thé ou café ?

— Jus d'orange, répond-elle en me dévisageant d'un air soupçonneux.

— Qu'est-ce qu'il y a ?

— Toi, tu mijotes quelque chose...

Le carillon de l'entrée retentit.

— Ouvrez ! Ouvrez ! hurle Lizzie par la boîte aux lettres.

Je m'agenouille devant l'ouverture pour brailler à mon tour :

— Le mot de passe sinon rien.

Je vois alors une, puis deux bananes tomber sur le paillasson.

— Banane ! lâche-t-elle.

J'adore Lizzie... même si elle est un peu *space* comme fille.

Je lui ouvre la porte et j'éclate de rire. Elle est en pantalon large et T-shirt mauves. Jusqu'ici, tout va bien. Sauf qu'elle porte la plus monstrueuse paire d'épaulettes que j'aie jamais vues. Des trucs énormes qui lui font une carrure de footballeur américain.

— L'incentive sous-entend un état d'esprit combatif, il faut donc avoir les épaules solides, explique-t-elle en sortant de son T-shirt les deux oranges qu'elle avait coincées en dessous.

Je prends le sac en plastique qu'elle me tend et je jette un coup d'œil à l'intérieur.

— Les jodhpurs de Claudia, m'informe-t-elle.

— Cool. Merci. Je les essaierai tout à l'heure.

— Alors ? C'est quoi tout ce chambardement ? demande-t-elle en me suivant dans la cuisine.

— Deux secondes ! Je vais tout vous expliquer.

J'attends d'avoir rejoint Lucy pour leur dévoiler mon plan d'action :

— Alors, voilà. J'ai lu un article, hier soir, dans un des magazines de Maman, au sujet des businessmen. Eh bien, ils débutent leur journée de travail par un « petit déjeuner incentive ». Ça les met en condition. C'est une façon de se glisser dans leur rôle de battant pour affronter la jungle des affaires.

— Autrement dit, ça les motive, traduit Lucy en attaquant les croissants.

— Exactement.

— *Mo-tivé, mo-tivé, il faut rester motivé,* chante Lucy, en se balançant en rythme.

Ouh la la, on n'est pas arrivées !

— Lucy ! C'est sérieux !

— On est en vacances, Tasha ! proteste Lizzie en se perchant sur un tabouret, avant de mordre goulûment dans son muffin. Et pendant les vacances,... « on se repose et on récupère », récite-t-elle en jouant l'élève modèle qu'on vient d'envoyer au tableau.

— Justement ! s'écrie Lucy. J'aimerais bien que quelqu'un m'explique pourquoi je suis sur le pied de guerre, un dimanche matin, alors que j'aurais pu rester bien au chaud sous ma couette pendant encore au moins une demi-heure.

Je prends le *Femmes d'aujourd'hui* de Maman pour lui montrer l'article et je lis à haute voix :

— *Définir ses objectifs. Établir la liste des priorités. Identifier les obstacles. Et mettre au point un plan de bataille.*

— Oh ! s'exclame Lucy. Rien que ça ?

— Très impressionnant, commente Lizzie.

— Cool, hein ? Je suis tombée dessus en rentrant, hier soir. Je commençais à ressentir les effets d'une dépression sous-jacente chronique et...

— D'une quoi ? s'esclaffe Lizzie.

— D'une dépression sous-jacente chronique.
C'est l'expression qu'ils utilisaient dans l'article
pour désigner les gens qui se sentent mal parce
qu'ils ne peuvent pas avoir ce qu'ils veulent.

Lizzie secoue la tête et lance à Lucy son regard
style « Pauvre Tasha ! Ça ne s'arrange pas ».

— Tu m'en diras tant ! persifle-t-elle. Tout le
monde a un petit coup de blues de temps en
temps. Sauf Tasha Williams. Tasha Williams,
elle, « ressent les effets d'une dépression sous-
jacente chronique » !

— C'est ça, marre-toi ! Et moi qui croyais que
vous me comprendriez.

— Désolée, Tasha, s'excuse Lizzie. Je ne voulais pas te vexer. Vas-y, continue.

— Donc, je me suis dit qu'on pourrait, nous
aussi, se faire un p'tit déj' incentive pour discuter stratégies, plans de bataille et *tutti quanti*.

— O.K. Mais, dans « p'tit déj' incentive », il
y a « petit déjeuner », lance Lucy, avec son sens
inné des priorités. Je mets la bouilloire en route ?

— D'ac'. Et, moi, je presse des oranges,
embraie Lizzie.

C'est le moment que choisit Tony pour faire
son entrée. Titubant, hirsute, il dort encore à moitié. Et il ne porte, en tout et pour tout, que son
caleçon. La vue de Lucy achève de le réveiller.

— Glups ! glapit-il en plaçant ses mains en
coquille, avant de se dandiner à reculons vers la

porte. Bon sang, Tasha ! Tu aurais pu prévenir que tu avais des invitées !

Dément ! Carrément dé-ment ! Tony qui, d'habitude, est Mister Cool en personne, a perdu tous ses moyens devant Lucy.

— Tu es toujours aussi zen avec mon grand frère, Lucy ?

— Oh oui ! Zen de chez zen. Bon, c'est mon premier, il aura toujours une place à part. Mais ça s'arrête là.

— Lui, en revanche, il n'a pas l'air zen du tout, se marre Lizzie. Je crois qu'il craque encore pour toi.

— Tant mieux ! C'est toujours agréable de savoir qu'on plaît. Mais j'ai vraiment d'autres soucis, en ce moment. Et puis, je ne me sens pas prête pour une relation sérieuse, de toute façon. Bien. Maintenant, qui veut quoi ?

J'avoue qu'elle m'épate. Je lui offre d'ailleurs ma plus belle imitation d'Obi-Wan Kenobi pour la féliciter :

— Tu apprends vite, ô Lucy Skywalker !

La « petite Lucy » était méga-stressée avec les garçons, quand je l'ai connue. Si, par hasard, l'un d'eux posait les yeux sur elle, elle s'estimait déjà super-heureuse qu'il ait daigné lui faire l'aumône d'un regard. Elle a drôlement pris confiance en elle, ces derniers mois. Fini Lucy qui dit « oui » au premier qui se présente. Elle a assimilé la règle d'or : *Suis, on te fuit ; fuis, on te suit.*

Après une bonne demi-heure à se goinfrer de toasts, de beurre de cacahouètes, de miel et de cappuccinos, il est temps de passer aux choses sérieuses.

Tout en débarrassant, je donne le coup d'envoi :

— Travaux pratiques : d'abord, on écrit les trois trucs les plus importants qu'on voudrait obtenir ou réaliser. Ensuite, on voit où ça coince et ce qu'on peut faire pour régler le problème.

Et je leur désigne de l'index les fournitures rangées sur le côté.

— Qu'on veut réaliser quand ? demande Lucy en distribuant les blocs-notes. Demain ou dans dix ans ?

— À toi de voir.

— O.K. Passe-moi un stylo.

J'en prends un par la même occasion et je plonge sur ma feuille pour rédiger ma liste :

1) *Devenir actrice (futur)*
2) *Être méga-riche (maintenant)*
3) *Avoir la cote avec tout le monde (maintenant et plus tard)*

— On devrait être hyper-précises, s'exalte tout à coup Lizzie. Par exemple, si tu mets « Je voudrais qu'un garçon tombe amoureux de moi », tu ajoutes qu'il faut qu'il soit mignon et, autant que possible, intéressant. Sinon, tu risques de te retrouver avec un gnome boutonneux et complètement débile. Imagine qu'un bon génie les réalise, tes trois souhaits : tu n'as pas intérêt à te tromper ! Et si on les enfermait, nos listes, dans une boîte spéciale qu'on rangerait dans un endroit secret ?

— Génial !

Cri du cœur et approbation générale.

Intérieurement, je jubile. Je savais bien que Lizzie allait se prendre au jeu. C'est toujours elle qui propose ce genre de trucs, d'habitude. Elle adore tout ce qui est médecines parallèles, développement personnel, machins alternatifs *and co*. Elle a même essayé de jeter des sorts (!!!).

Je rajoute « et gagner au moins vingt millions par film » au numéro un de ma liste.

— Ça y est ! s'écrie l'apprentie sorcière, au bout de cinq minutes.

— Ouich, moi aussich ! délire Lucy.

Comme Solaar, je joue les M. C. (mais non ! pas Méga Craquant ! Maître de Cérémonie !) :

— À toi, Lizzie. Tu commences.

— En un, devenir un auteur-compositeur-interprète populaire, bourré de talent et qui vend des millions de disques. En deux, avoir un super appart' à moi toute seule, avec trois chambres – histoire d'héberger mes copines préférées. En trois, faire le tour du monde pour découvrir plein de cultures différentes et séjourner dans des endroits paradisiaques.

— O.K. À toi, Lucy.

— Un, objectif professionnel : devenir styliste et réussir dans la mode. Deux, objectif sentimental : rencontrer l'âme sœur avant trente ans. Tomber amoureuse et réciproquement. Trois, objectif *cocooning* : avoir un cottage à la campagne avec des chiens, des chats... bref, un tas d'animaux.

J'énumère rapidement mes trois objectifs et j'enchaîne :

— Deuxième phase du processus : comment atteindre ce but et ce qui nous en empêche.

Après dix minutes à plancher en silence, tout le monde a fini.

Cette fois, je commence :

— Pour être méga-riche, la seule solution, c'est de trouver un job.

— Je croyais que tu ne voulais pas faire de baby-sitting parce que ça ne rapportait pas assez ? s'étonne Lucy.

— Qui parle de baby-sitting ? J'ai l'intention de me dégoter un vrai boulot.

Et, du menton, je leur montre la pile de journaux que j'ai achetés avant leur arrivée.

— Tu as vu quelque chose d'intéressant ? demande Lucy.

— Je n'ai pas encore commencé à chercher. Je m'y mettrai tout à l'heure.

— Et pour « avoir la cote » ? glousse Lizzie.

— Facile ! Je reste la charmante et ravissante personne que je suis naturellement.

— Et modeste avec ça !

— Alors ? Où est le problème ? s'interroge Lucy. Pour toi, tout est réglé.

— Eh bien... certains jours, pour le plan actrice, ce n'est pas évident. Quand je me regarde dans la glace, je me dis : « Qu'est-ce que tu as de plus que les autres ? »

— Ma mère répète toujours qu'il y a deux erreurs à ne pas commettre dans la vie : la première, c'est de se croire unique. La seconde, c'est de croire qu'on ne l'est pas.

— Tout à fait d'accord ! applaudit Lizzie. Tasha, je suis persuadée que tu vas devenir une star : tu es la plus belle fille du lycée ; tu es la meilleure du cours de théâtre ; tu as tous les garçons à tes pieds... On a tous des jours où on « ressent les effets d'une dépression sous-jacente chronique », raille-t-elle. Pourquoi t'inquiéter ? Partout où tu passes, on ne voit que toi. Les gens se retournent sur ton passage.

— Parce qu'ils me trouvent jolie ou parce que je suis métisse ?

— Qu'est-ce que ça change ?

— Quelle question ! s'exclame Lucy. Parce que tu es canon, forcément !

— Je n'en suis pas si sûre. Quand j'étais petite, je suis allée avec mes parents passer le week-end à la mer. Papa était parti nous acheter des glaces et je me promenais avec Maman sur la jetée. Et puis, un type est passé et il s'est retourné, lui aussi. Plutôt deux fois qu'une, même. Il nous a dévisagées et il est revenu sur ses pas. Et il a lancé à ma mère : « T'as rien à faire ici, toi. Retourne dans ton pays ! » Il ne nous regardait pas parce qu'il nous trouvait jolies, lui, je vous le garantis.

— Il est où, celui-là ? s'emporte Lizzie. Tu pourrais le reconnaître ? Je vais lui apprendre, moi. C'est quoi son nom ? Comment il a pu oser... ?

Sacrée Lizzie ! Elle est prête à sauter dans le premier bus pour aller trouver ce type et lui mettre son poing dans la figure.

J'essaie de calmer le jeu :

— Ça fait des années, Liz. Mais c'est après cet épisode que j'ai remarqué que les gens nous regardaient.

— Je déteste ça ! fulmine Lizzie. S'il y a quelque chose que je ne supporte pas, c'est bien qu'on soit raciste.

— Moi, je crois que, la plupart du temps, les gens vous regardent, ta mère et toi, parce que vous êtes super-glamour, insiste Lucy. Et pas à cause d'une histoire de couleur de peau.

— Peut-être... Je ne le saurai jamais, de toute façon... En tout cas, j'ai décidé que plus personne ne me ferait mal comme ça. Ou, du moins, que personne n'aurait plus la satisfaction de me voir souffrir. C'est pour ça que je joue les filles hyper-sûres d'elles. Mais ça ne signifie pas que je le suis. À force je suis juste devenue bonne à ce petit jeu-là.

— C'est ce que je ressens quelquefois avec ma taille, nous confie Lucy. Les gens me prennent pour une gamine parce que je suis trop petite pour mon âge. Mais, petit, grand ; gros, mince ; noir ou blanc, on ne peut pas juger quelqu'un uniquement d'après son apparence.

— Cent pour cent d'accord avec toi, approuve Lizzie. On a toutes nos petits complexes. Et il y aura toujours des idiots pour juger sans savoir.

Lizzie, des complexes ? Je suis trop curieuse pour tenir ma langue plus longtemps :

— C'est quoi, ton complexe ?

— Précisément ce qui m'empêche de réaliser ce que je veux faire.

— En clair ? s'impatiente Lucy.

Lizzie a l'air super mal à l'aise, tout à coup.

— Vous savez qu'on a mis plusieurs de mes chansons en musique avec Ben ?

Lucy et moi hochons la tête.

— Eh bien...

Elle hésite, et puis lâche sa tirade d'une traite :

— Il m'a demandé de les chanter pendant le prochain concert du groupe.

— *Oh my God*, Lizzie ! s'écrie Lucy. Excellent ! Quand ça ?

— La semaine prochaine. Vendredi. C'est bien là le problème. Chanter devant Ben ne me gêne pas. Par contre l'idée de monter sur scène devant un public me donne des sueurs froides. Et si j'ai un trou ? J'aurai l'air de quoi ? C'est bien simple, j'en rêve la nuit. Un vrai cauchemar !

Je n'ai pas de solution miracle, mais je peux toujours lui proposer mon truc :

— Fais comme moi : je me mets dans la peau d'un personnage de film et je me dis : « Et elle, qu'est-ce qu'elle ferait à ma place ? »

Suit un long silence.

— Ce n'est pas si bête que ça, lâche enfin Lucy (trop aimable !). Pas besoin que ce soit dans un film, d'ailleurs, hein, Tasha ? Lizzie pourrait juste prétendre être une chanteuse célèbre ?

Je me tourne vers Lizzie.

— Quelle est la chanteuse qui dégage le plus, d'après toi ?

— Euh... Madonna.

— Alors, imagine que tu es Madonna.

— Et, enchaîne Lucy, comme il ne faut jamais remettre au lendemain...

— Oh non ! s'écrie Lizzie. Non, je ne pourrai pas.

J'y vais de mon petit couplet perso pour la convaincre :

— Si tu n'es pas capable de chanter devant tes meilleures amies, comment veux-tu y arriver ? Allez ! Sors dans le couloir, respire un bon coup et imagine que tu es Madonna. Madonna qui va chanter une de tes chansons. La plus belle chanson qu'elle ait jamais interprétée.

— Il faut vraiment ? demande Lizzie d'une voix suppliante.

— OUI !

Lucy et moi éclatons de rire. On n'a même plus besoin de se regarder pour être en phase ! (C'est beau, la « synchronicité », comme dirait Lizzie.)

Lizzie soupire et descend de son perchoir.

— Bande de tyrans !

Elle se dirige alors vers la porte, en bougonnant :

— C'est maintenant ou jamais, de toute façon...

Deux minutes plus tard, elle est de retour.

— Est-ce que je peux chanter face à la fenêtre ? demande-t-elle en regardant ses chaussures.

J'ironise :

— Bien sûr. Si c'est comme ça que Madonna le ferait. Pas de problème !

— Eh bien... Madonna est un peu... intimidée, aujourd'hui, bredouille Lizzie en nous tournant le dos. C'est une chanson sur le trac, justement.

Il y a un petit moment de silence. Et puis, elle commence à chanter :

Tu dis que j'ai ce qu'il faut, que je sais ce que le
[monde vaut.
Mais comment je ferais sans toi ? Je n'y arriverai
[pas.

Sortir de mon trou, de l'ombre. Voilà ce que je dois
                                                    [faire.
Courir vers le soleil, m'offrir à sa lumière.
C'est ce que tu me dis, ce à quoi tu m'exhortes.
Prendre ma part de fun et goûter au succès.
Mais tu oublies une chose : que c'est toi qui me
                                                    [portes,
Sans ta confiance pour m'épauler,
Je sais bien que je vais tomber...

Elle s'interrompt soudain et reste plantée là, sans bouger.

Mais c'est qu'elle chante drôlement bien, notre copine ! Elle a une super voix : une voix de velours, chaude, vibrante... On applaudit à tout rompre avec Lucy.

Je m'extasie :

— Lizzie ! C'était génial ! Carrément génial !

— Ah oui ! Avec une voix pareille, tu n'as aucun souci à te faire, renchérit Lucy.

— C'est vrai ? s'écrie Lizzie en pivotant d'un bloc, les joues en feu.

Comme quoi, on a beau être championne de yoga déstressant et adepte de la zen-attitude, on n'en pique pas moins un fard magistral pour autant !

— C'était qui ? demande Tony en passant la tête par la porte.

— Et voici notre beau chevalier en Armani !

Je ne peux pas m'empêcher de le charrier. Il a sorti sa tenue de tombeur : jean noir, T-shirt noir et cheveux plaqués en arrière. Et il empeste l'after-shave de Papa. Pas de doute, il a fait ça pour impressionner Lucy. Le pauvre ! Il est encore plus accro que je ne le croyais.

— C'était Lizzie, répond Lucy.

— Ouah ! s'exclame-t-il en se tournant vers Lizzie avec un regard admiratif. Qu'est-ce que tu chantes bien !

Lizzie a l'air carrément flattée.

— Merci. Et, merci, Tasha. Ce p'tit déj' incentive était une super idée. Maintenant, à toi. Où sont ces journaux qu'on te trouve un bon job ?

On a passé plus d'une heure à chercher... pour vite se rendre compte que, pour le monde du travail, je ne suis pas rentable. Il n'a pas grand-chose à offrir aux ados de quatorze ans, le monde du travail !

Il y avait bien des emplois de chauffeurs, mais je ne sais pas conduire.

Des jobs d'enquêtrices à domicile, mais « voiture indispensable ».

Des « On demande employées de maison », mais « présenter références » (je doute que Maman m'en donne de très bonnes : je ne suis pas vraiment douée pour le ménage...).

Enfin, il y avait des emplois de concierges, mais seulement « pour retraités ».

Désespérant !

— Il n'y a rien pour toi là-dedans, conclut Lizzie en reposant le dernier journal de la pile. Tu as trouvé quelque chose ?

— Attends. J'ai presque fini.

Je suis en train d'éplucher l'hebdo gratuit que j'ai pris à la boulangerie, quand, soudain, un truc m'attire l'œil :

**Gagnez entre 100 et 1 000 £ par jour !
Devenez mannequin !**

Temps complet ou partiel possible.

J'entoure l'annonce au crayon rouge et je déchire la page. 100 à 1 000 £ par jour ? Je pourrais même donner un petit coup de pouce à Papa et Maman, avec un tel salaire. Je pourrais faire ça à temps complet, pendant les vacances, et à temps partiel, pendant l'année scolaire. Hourra ! Je l'ai, ma solution !

Je meurs d'envie d'en parler aux filles. Mais Tony ne cesse de faire des apparitions éclair, sous tous les prétextes possibles et imaginables. Pas moyen de souffler mot de mon idée devant lui – il connaît l'opinion de Papa et Maman sur mes velléités de mannequinat (il est hors de question d'y songer avant que j'aie terminé mes études). Je suis donc obligée de tenir ma langue (un vrai supplice !).

Au bout du compte – il a dû finir par se las-
ser –, Tony vient se planter devant Lucy et lui
balance franco :

— Si je te demande de m'embrasser, je me
prends une mégaveste, voire un costard trois
pièces ?

Il arbore son plus beau sourire moqueur –
celui en coin, avec cette adorable petite fossette
qui les fait toutes craquer.

Même Lucy ne peut pas résister : elle éclate
de rire.

LE JOURNAL DE TASHA

☺ ☹ ☺ ☹ (Journée en dents de scie).

Ça commence sur les chapeaux de roue. Super matinée : ☺ ☺ ☺

Et puis, finalement, je me rends compte que, question job, je ne vaux pas un clou : ☹☹☹

Et puis, EURÊKA ! Je trouve une solution : ☺ ☺ ☺

Après, comme Simon me manque, je lui envoie un texto :

Sovmoa :-((((((Sauve-moi, je suis malheureuse).

Il me répond : **Gtréenvi2CU** (J'ai très envie de te voir).

Alors, je lui envoie :
:-D))) (Je suis super-contente).

Et il me répond : **(((H)))** (Je te serre dans mes bras).

Alors, je lui envoie **<3** (un cœur).

Je sais : ça manque un peu de poésie. Mais bon. On est au xxie siècle, oui ou non ?

P'tit déj' incentive avec les filles : top excellent !

Liz nous a chanté une de ses chansons et c'était génial. C'est quelqu'un de carrément spécial, Lizzie.

Lucy et elle sont vraiment des filles à part. J'ai une sacrée chance de les avoir pour amies. Elles sont super.

J'ai vu une annonce pour une agence de mannequins dans le journal. Tout le monde me répète que j'ai l'air d'un mannequin. Alors je vais téléphoner et vérifier ça demain.

Je me baladerai bientôt en Gucci et gagnerai des tonnes de ££££££££££££££££ !

Hourra ! Hourra ! ☺ ☺ ☺

7

LES DYNASTY'S CHILD

Première chose, en me levant : j'appelle l'agence de mannequins.

— Joss Elliott Models, récite une voix féminine, à l'autre bout du fil.

— Bonjoss ! Euh, pardon : Bonjour.

J'adopte un ton hyper-pro et je déballe le speech que j'ai préparé :

— J'ai vu votre annonce dans le journal et je voulais connaître la marche à suivre.

— Quel âge avez-vous ?

Je croise les doigts.

— Seize ans.

— Bien. Pour commencer, passez à l'agence afin que nous puissions voir si vous correspondez au profil. Si tel est le cas, vous devrez vous inscrire chez nous. Il vous en coûtera soixante livres de frais de dossier. Et vous devrez également prévoir deux cents livres pour le book. Nous avons besoin de photos pour les envoyer à nos clients et nous tenons à ce qu'elles soient de qualité. Il est de notre intérêt, comme du vôtre, que vous paraissiez à votre avantage. Voulez-vous que nous convenions d'un rendez-vous pour que vous rencontriez rapidement M. Elliott ?

Deux cent soixante livres ! Et je les trouve où, moi ? Il ne me reste que trente livres sur mon livret. Je pourrais peut-être emprunter le complément...

— Euh... Je vais réfléchir. J'ai déjà eu plusieurs propositions et je veux prendre le temps de les étudier avant de me décider.

— Quelles propositions ? braille Tony, depuis le salon.

Je repose avec précipitation le combiné avant de répondre, en priant le ciel pour qu'il n'ait pas entendu le début de la conversation :

— Euh... rien, rien. J'hésitais juste à aller faire du cheval, cet aprèm'. Comme Lucy et Lizzie m'avaient proposé un plan shopping... Je n'arrive pas à me décider. Je voulais leur en parler avant.

— Faire du cheval ? Avec les Dynasty's Child ?

— Les quoi ?

Je le rejoins sur le canapé où il est affalé, en train de regarder *Matrix* (ça ne fait que la troisième fois... en trois jours !).

— Les Dynasty's Child. Tu sais, les gosses de riches à particule qui se tournent les pouces en attendant que le compte bloqué, l'appart' et la bagnole leur tombent tout cuits dans le bec à leur majorité.

— Eh, ce n'est pas très sympa pour Simon.

— Oh ! si on ne peut plus blaguer ! Je parlais surtout des filles. C'est avec elles que vous y allez !

— Oui, je suppose.

— Toujours à Hyde Park ?

— Oui.

— Je peux venir avec vous ? demande-t-il en éteignant le magnétoscope. Je m'ennuie à mourir. Tous mes potes sont allés faire un tour dans le West End, mais... comme nous sommes... dans une situation de précarité financière... Pas de thunes pour Tony ! Donc pas de virée en ville avec les copains. Et, comme la balade à cheval est gratuite et qu'elle promet de ne pas être triste...

Simon a été super-cool pour Tony : il a tout de suite accepté.

Sur le trajet, mon portable se met à sonner. Simon nous demande de le rejoindre directement à Hyde Park parce qu'il est déjà là-bas, en train de donner une leçon d'équitation à un de ses élèves. Parfait. Une corvée de moins : je me voyais mal parcourir la distance entre le centre équestre et le parc, au milieu des voitures, sans Mme Creighton pour m'accompagner.

À peine arrivée, je l'aperçois. Il nous attend sur le chemin de terre battue, près de l'entrée. Plus je me rapproche et plus j'ai du mal à réprimer le petit sourire qui, malgré moi, me monte aux lèvres. Moulé dans son jean, avec ses bottes et son Barbour – qui est à la veste coton-huilé-col-de-velours-côtelé ce que Burberry's est à l'imper –, ce type est à tomber. Il est plus beau chaque fois que je le vois.

Toujours aussi cordial, il accueille mon frère avec un grand « Salut ! » et lui serre la main.

— Tony, j'imagine ?

Tony hoche la tête en répondant à son sourire, puis désigne du menton les trois chevaux que Simon tient par la bride.

— Il y en a un pour moi ?

— Absolument ! Tasha m'a prévenu que tu n'étais jamais monté, mais j'ai pensé que ça te tenterait d'essayer. Tenez, mettez ça !

Au moment où il nous tend à chacun une bombe, les Princesses de Portobello passent devant nous au petit galop. LNaz affiche son habituelle moue dédaigneuse et s'apprête à poursuivre son chemin sans même me dire bonjour, quand elle aperçoit Tony. Elle fait alors signe à Tanya et toutes deux rebroussent chemin pour venir nous rejoindre.

Elle n'a pas mis pied à terre qu'elle nous fait son mégashow : hop ! et j'enlève ma bombe, hop ! et j'enlève mon chouchou de velours noir assorti, hop ! et je déploie ma blonde chevelure, avant de la rejeter en arrière, en levant vers Tony un regard genre « Salut beau brun ! ».

— C'est si contraignant de s'attacher les cheveux, lui lance-t-elle, avec son air « Parce que je le vaux bien ».

Je me mords la lèvre pour ne pas pouffer. Au moins trois millions de filles ont dû réagir comme ça, en voyant Tony pour la première fois.

Tony se passe alors la main dans les cheveux et secoue la tête, style mannequin de pub pour shampooing.

— Ooooh ! Je comprends parfaitement ce que tu veux dire..., lui répond-il, en lui balançant son regard de prédateur de charme (le regard qui tue).

Tout juste si LNaz ne s'étrangle pas de rire. Holà Bécassine ! il n'est quand même pas si drôle que ça !

— Hélèna, Tanya, je vous présente Tony, le frère de Tasha, intervient Simon, s'acquittant dignement des formalités d'usage.

La réaction ne se fait pas attendre : froncements de sourcils et moues perplexes. À tous les coups l'on gagne !

Je leur ressers alors le refrain habituel :

— Même père, mères différentes.

— Ah oui ! s'écrie Hélèna, avec de grands effets de chevelure, sans cesser de regarder Tony

dans le blanc des yeux. Mes parents sont divor-
cés, eux aussi.

Je lâche alors platement :

— Sa mère est morte, en fait.

Comment ose-t-elle présumer que nos parents
ont divorcé ?

Mais, loin de s'excuser ou d'afficher un embar-
ras légitime, LNaz en profite pour prendre mon
frère par le bras en roucoulant :

— Oh ! pauvre Tony ! On est en mal d'affection féminine, si je comprends bien...

Tony s'empresse d'acquiescer. Tel que je le
connais, mon tombeur de frère se régale.

— Tu vas être mon initiatrice, alors, Lèn ? lui
répond-il du tac au tac. Pour monter à cheval,
bien sûr...

Lèn (!!!?) glousse.

— Il n'est jamais monté, l'informe Simon.
Mets-le sur Heddie.

— Oui, c'est ma première fois, susurre Tony
en lançant à LNaz un regard lourd de sous-
entendus. J'espère que tu seras gentille avec moi.

Hélèna salue l'allusion d'un nouveau hurle-
ment de rire, avant de se tourner vers Simon.

— Oh ! ne lui donne pas Heddie, Simon.
Laisse-lui Prince. Je te promets de faire très
attention à lui.

— Eh bien... je comptais le donner à Tasha,
cette fois-ci, mais...

Je m'empresse de le rassurer :

— Oh ! Pas de problème. Ça ne me gêne pas de monter Heddie. Je le connais déjà : c'est aussi bien.

Tanya amène donc le cheval gris à Tony, tandis que Hélèna s'arrache enfin à la contemplation de l'apollon qui me tient lieu de frère pour me reluquer de la tête aux pieds.

J'ai presque envie de lui dire : « Eh oui ! je suis là, moi aussi ! »

Sa mine dégoûtée, genre « Quelle est donc cette odeur nauséabonde » fait aussitôt sa réapparition.

— Des jodhpurs crème ! persifle-t-elle, d'un air horrifié. Enfin, Tasha chärie, personne ne porte de jodhpurs crème ! Les cavaliers dignes de ce nom s'habillent toujours de couleurs sombres.

Une chance pour elle que Tony n'ait pas entendu – il discute avec Tanya –, parce qu'il a beau jouer les frimeurs de première et les dragueurs professionnels, il n'en demeure pas moins mon grand frère et il ne laisserait à « per-sonne » le droit de m'intimider ni de me ridiculiser, à plus forte raison par pure méchanceté.

Mais je n'ai pas besoin de Tony pour me défendre.

Je me penche vers elle, de sorte qu'on ne puisse pas m'entendre, et je lui rétorque :

— En fait, Hélèna, la plupart des filles qui portent ce genre de tenue préfèrent les couleurs sombres parce que ça leur permet de cacher ce qu'on appelle – c'est le cas de le dire – la « culotte de cheval ». Rares sont celles qui peuvent porter des jodhpurs beiges. Il faut être très mince pour se le permettre.

Hélèna s'empourpre sous l'effet de la colère. J'ai touché le point sensible. Elle a peut-être des cheveux magnifiques et un joli visage – quand elle se décrispe un peu –, elle n'en est pas moins affligée de ce que fustigent tous les magazines féminins : la « silhouette en poire ». En clair, elle a des fesses et des cuisses disproportionnées par rapport au reste du corps. Coulé !

Satisfaite de ma repartie, je vais rejoindre les autres.

Évidemment, Hélèna ne s'est permis aucun commentaire quant à la tenue de Tony. Elle n'a pourtant rien de réglementaire : treillis kaki et sweat-shirt beige (pardon, « crème »). Mais LNaz ne semble pas tant se préoccuper de ce qu'il a sur le dos que de l'attention qu'il lui porte.

Pour l'heure, Tony essaie de monter sur son cheval et, comme moi la première fois, il... patauge dans la semoule.

Hélèna se fait un plaisir de lui prêter assistance.

— Appuie-toi sur moi, conseille-t-elle en s'empressant de lui offrir une épaule secourable. Pied à l'étrier. Et hop ! tu passes ta jambe par-dessus la croupe.

Tony s'efforce de tirer au mieux parti des

recommandations de son « initiatrice ». Il réussit du premier coup à atteindre l'étrier, mais il est obligé de se cramponner à Hélèna pour conserver son équilibre. Elle profite au maximum de la situation, se montrant d'une patience et d'une sollicitude insoupçonnées.

Heureusement pour Tony, Prince semble, lui aussi, d'une patience à toute épreuve : il supporte les gesticulations de mon grand frère préféré, lequel s'évertue à monter en selle et ne cesse de retomber dans les bras accueillants de LNaz. Ah ! ma pauvre Hélèna ! Tony est capable de faire avaler à une fille qu'elle est unique au monde. Je l'ai vu agir de la sorte des milliers de fois. Et ça marche à tous les coups. Il est peut-être beau comme un dieu, mais, quand il a décidé d'ajouter une nouvelle pièce à sa collection, c'est le diable en personne.

Simon m'aide à monter sur Heddie et part au petit trot devant moi. Après avoir mis Tony en selle, Hélèna s'empresse de nous rattraper. Au regard noir qu'elle me jette en passant, je réponds par un large sourire, et je retourne ma bombe, genre casquette de rappeur, en lançant à Tony d'un ton suffisant :

— « Tout cavalier digne de ce nom se doit de porter la tenue réglementaire. »

— Absolument, Tasha chärie, réplique-t-il en retournant aussitôt la sienne.

Simon éclate de rire et en fait autant.

En voyant Simon et Tony jouer le jeu, Hélèna manque s'étouffer.

— Cool, hein, Lèn ? lui balance Tony.

— Euh... oui, répond-elle sans conviction.

Même si elle succombe au charme de mon frère, elle ne peut pas s'abaisser à l'imiter.

Certaines personnes sont incapables de ne pas se prendre au sérieux...

LE JOURNAL DE TASHA

Trop géniale, la promenade à cheval, cet aprèm'! Un look d'enfer avec mes jodhpurs beiges. *Of course*, Hélènaze les a snobés. Après, Simon m'a expliqué que les vrais cavaliers portaient des jodhpurs de couleur sombre parce qu'ils étaient obligés de curer le box de leur monture et de nettoyer leur cheval après l'avoir monté. J'ai du mal à imaginer qu'on puisse posséder son propre cheval, comme d'autres ont un chien ou un chat. Mais ça doit être méga-top.

C'était cool que Tony soit là. Du coup, Hélènaze s'est montrée un peu plus sympa avec moi. Enfin... quand il était dans les parages. C'est un filon à exploiter. (Penser à l'emmener plus souvent.)

Téléphoné à l'agence de mannequins. Ils demandent 260 £ pour l'inscription et pour me faire un book. J'y pense sérieusement. Il faut bien se lancer un jour, si on veut devenir méga-riche et acheter un haras entier !

Question équitation, je crois avoir compris la technique : rester zen, ne pas avoir peur, prendre son cheval par la douceur, ne pas essayer de galoper avant de savoir marcher (ah ah !).

J'ai fait des progrès avec Heddie, aujourd'hui. J'étais bien plus à l'aise avec lui et je crois que c'était réciproque.

Peut-être que, si je ne deviens pas actrice, je pourrais devenir *THE* chuchoteuse anglaise...

En y réfléchissant bien, peut-être pas. Il faudrait que je nettoie les écuries et j'avoue que ça m'éclate moyen comme idée...

8

UN GOÛT ÉTRANGE VENU D'AILLEURS

Il y a des jours où les vacances paraissent interminables. C'est ce que je me dis, en tournant en rond dans l'appart' désert. Tout le monde semble avoir quelque chose à faire, sauf moi.

Simon déjeune avec son père dans un hôtel – le Ritz ou un truc comme ça. Ils sont censés parler de son avenir, avec un grand A.

Lizzie répète avec King Noz, le groupe de Ben. Après notre petit déj' incentive, elle a décidé de se lancer et de monter sur scène pour leur prochain concert. C'est le grand saut pour elle. Quand on pense qu'elle n'a jamais montré ses chansons à personne ! Alors, les chanter en public ! J'avoue que je l'admire. Quel courage !

Lucy est restée très évasive sur son programme : elle serait « sur un plan fringues » (! ! ?).

Tony est parti se balader avec sa nouvelle copine. Encore une ! Décidément, il les collectionne, en ce moment ! Une par semaine. Et encore : ce n'est qu'une moyenne. Je commence à en avoir assez de ces coups de fil à répétition à la maison (il ne leur file pas son numéro de portable, forcément !). En plus, je suis obligée de répondre à toutes ces pauvres filles qu'il n'est pas là, alors qu'il est à deux mètres de moi en train de grimacer ou de ricaner d'un air goguenard. Selon lui, c'est la seule façon d'oublier Lucy. Je sais très bien qu'il compte sur moi pour transmettre le message. S'il espère rendre Lucy jalouse, il peut toujours s'accrocher ! Elle n'a jamais eu autant la pêche. À mon avis, elle peut très bien se passer de lui. Contrairement à certaine que je ne nommerai pas...

C'était dément, hier, à Hyde Park. Pendant toute la promenade à cheval, Héléna a collé Tony comme une sangsue. Elle en faisait des tonnes avec ses effets de chevelure et ses allusions – plus lourdes tu meurs – comme quoi elle n'avait pas de petit copain et qu'elle était libre toute la semaine. Mais Tony l'a jouée cool : il ne lui a même pas demandé son numéro de portable ! Il préfère Tanya, de toute façon.

Maman ne sait toujours pas si son contrat va être renouvelé. Elle passe des heures à éplucher les journaux pour se trouver un nouveau job.

Papa ne rentrera pas de Manchester avant vendredi. Je suis contente qu'il soit enfin de retour à la maison.

Et moi, dans tout ça ? Eh bien, moi, je n'ai strictement rien à faire. Rien de rien. Le calme plat. Déprimant.

En passant dans la cuisine, je récupère les quotidiens que j'ai achetés, l'autre jour, pour notre petit déj' incentive. Au moment de les mettre à la poubelle (celle pour recycler le papier. Je suis une adepte du tri sélectif. Lizzie m'a convertie), je repense à cette annonce pour l'agence de mannequins. Est-ce que je rappelle ? Peut-être que je pourrais juste aller jeter un coup d'œil, pour voir ? Après tout, je ne suis pas obligée de m'engager tout de suite. J'y vais ? J'y vais pas ?

Je prends le téléphone.

— Je peux venir ?

Lucy a à peine le temps de décrocher que, déjà, je la supplie de m'arracher à mon ennui mortel :

— Tu es dans ta couture, mais je te jure que je ne t'embêterai pas. Je m'assoirai bien gentiment dans un coin et je serai si sage que tu oublieras que je suis là.

— Bien sûr, répond-elle sans une seconde d'hésitation. D'ailleurs, il se pourrait bien que j'aie une surprise pour toi...

— Regarde où tu poses les pieds, m'avertit Lucy, sans même lever le nez de sa machine à coudre.

Figée sur le seuil, je prends la mesure du désastre. Ce n'est plus une chambre : c'est un véritable marécage ! On patauge dans la chiffe jusqu'aux genoux.

Je me fraie tant bien que mal un chemin, slalomant sur la pointe des pieds entre nénuphars de dentelle, tourbillons de soie et sables mouvants de tissus bariolés non identifiés.

C'est seulement après avoir atteint le lit, saine et sauve, que j'ose lui demander :

— Qu'est-ce que tu fais ?

— Des essais. Tiens, jette un coup d'œil là-dedans, dit-elle en désignant le journal posé sur son lit. Je suis tombée dessus chez toi, dimanche dernier, et je te l'ai piqué. Regarde la page « Échos de la Mode ». On y parle d'une certaine Elspeth Gibson. Tu as trouvé ? Lis ce qu'on raconte sur elle.

Je feuillette le journal jusqu'à la page Mode et je survole vite fait les photos des modèles et les noms de leurs créateurs. En haut à droite, Elspeth Gibson.

— Ouah, Lucy ! La classe !

— Oui, oui ! Mais lis l'article, insiste-t-elle.

— *Après avoir ouvert sa boutique à Londres, en 1998, et avoir été élue, dans la foulée, « Créateur de l'année », puis avoir remporté le prix du Meilleur*

Créateur Britannique décerné par le magazine Elle, *en 1999, Elspeth Gibson lance sa cinquième collection : jodhpurs et diaphanes blouses Belle Époque. Veste d'équitation grand style flirtant allégrement avec la jupe de mousseline vaporeuse de l'Ingénue libertine...*

— Tout juste ! s'écrie Lucy en embrassant la pièce d'un geste. Nous avons là tout le vaporeux et toute la mousseline qu'il nous faut. La tendance du moment, c'est le mélange du neuf et du *vintage*. Genre tweed et organza, dentelle et mousseline, velours et stretch...

— Tu as trouvé ton truc, hein ?

Elle a l'air si passionnée, si exaltée.

— Exactement. Ça m'éclate de créer des fringues. En voyant tous ces modèles dans le journal, j'ai compris que c'était ce que j'aimais : mélanger le moderne avec l'ancien, le vieux avec le neuf.

Elle pivote alors sur sa chaise pour m'indiquer sa penderie.

— Regarde sous l'étagère du bas.

Je dois presque jouer les fildeféristes pour traverser l'espace qui me sépare de la penderie. Je plonge la tête à l'intérieur et j'aperçois un gros sac en plastique coincé dans le fond.

— Le sac en plastique, tu veux dire ?

— Oui. Sors-le.

J'obéis et je l'ouvre. Dedans je découvre, fourrés en vrac, morceaux d'étoffes et vêtements démodés.

— Et je suis censée chercher quoi au juste ?

— Une veste. Elle doit se trouver quelque part, en dessous. C'est le sac des trucs qui appartenaient à ma grand-mère.

— Ah ! Le fameux Trésor de Mamie !

Au premier trimestre, Lucy est tombée sur une grande boîte en carton planquée dans le placard, sous l'escalier. Sa mère l'avait rangée là des années auparavant. Et puis elle avait entassé un tas de trucs inutiles par-dessus et elle l'avait oubliée. La mystérieuse boîte était remplie de vêtements datant des années quarante et cinquante. C'est à partir de ces trouvailles que Lucy a fabriqué ses premières créations – dont deux super tops pour Lizzie et pour moi.

— Tout au fond, répète-t-elle en me voyant retourner le contenu du sac.

Je finis par le vider par terre. De toute façon, vu la pagaille qui règne déjà dans la chambre, un peu plus un peu moins...

— Là ! s'écrie Lucy en pointant l'index.

Je soulève la pièce de musée.

— Ouah !

— Essaie-la, essaie-la ! trépigne Lucy, qui rayonne déjà en voyant ma mine ébahie.

Je suis carrément en extase. Je tiens entre les mains la veste la plus top-classe qu'on puisse imaginer.

— Oui, oui, je sais, jubile Lucy. C'est après notre visite dans ce magasin, l'autre jour. Je me suis dit : « J'ai déjà vu une veste comme ça quelque part. » Mais je ne t'en ai pas parlé, sur le coup : je ne voulais pas te faire une fausse joie.

Sur l'étiquette du col, je lis... « HERMÈS » ! Elle est en tweed terre de sienne avec des petits points ivoire et caramel. Aucune de celles que j'ai regardées chez le sellier de Kensington ne peut rivaliser avec cette splendeur. Elle est d'une élégance dé-mente. Je l'enfile, avant d'aller me regarder dans la glace. Cintrée juste comme il faut, elle met ma taille hyper en valeur. On la croirait taillée pour moi.

— Les manches sont un peu courtes, non ? pinaille Lucy en venant m'examiner de plus près. Oh ! ça va. Je vais pouvoir les rallonger.

— Oh, Lucy ! Je l'adore, je l'adore ! Je peux la garder ? C'est vrai ?

— Mais oui ! Elle est à toi, répond Lucy, qui a l'air aussi ravie que moi. Et ce n'est pas fini.

Elle rebrousse chemin vers son bureau et se retourne dans une envolée de mousseline.

— Tantantan ! fait-elle, genre Monsieur Loyal annonçant le triple saut périlleux.

Et là, devant moi, suspendue au bout des doigts de fée de ma copine, se balance la plus craquante des chemises. Voile crème, légèrement transparente, avec un adorable froufrou de jabot qui se prolonge par un volant jusqu'en bas... Mmm ! un a-mour !

— Passe-la en dessous, ordonne Lucy. Je l'ai fabriquée avec cette robe que j'ai achetée aux puces de Portobello.

— Tu la voulais pour toi !

Lucy balaie l'argument d'un revers de la main.

— Oh ! Du tissu, il en reste des tonnes dans la jupe ! Et puis, de toute façon, tous les créateurs ont des égéries qui portent leurs modèles en public pour les faire connaître. Et les grands couturiers ont leur star maison. Tu seras mon mannequin vedette, l'image vivante de la griffe « Lucy Lovering ». Allez, essaie-la.

Je ne me fais pas prier.

— Avec tes jodhpurs tu auras l'air de sortir tout droit d'une couverture de *Vogue*.

Je m'admire dans la glace. Elle a raison. On dirait une des photos que je viens de regarder dans le journal.

— Et si j'emprunte les bottes cavalières de ma mère, je vais avoir un look hallucinant. Oh Lucy ! Lucy ! Tu es vraiment une super copine ! Il n'y en a pas deux comme toi !

— Oh ! laisse tomber ! supplie Lucy en piquant un mégafard. Bon. Si on les rallongeait, ces manches ?

Il est environ six heures quand Lizzie débarque. Comme les retrouvailles s'éternisent, Mme Lovering nous propose de rester toutes les deux à dîner.

— Je ne me sens pas le courage d'organiser

un repas assis pour sept, nous avertit-elle. Alors, je vous préviens : vous mangerez sur vos genoux devant la télé.

Elle est vraiment cool la mère de Lucy ! Hyper-décontract' et trop facile à vivre !

J'adore venir chez eux. Dès le premier jour, ils m'ont adoptée. Ils m'ont toujours traitée comme un membre de la famille. De là à accepter une invitation à dîner... C'est qu'on ingurgite tout un tas de trucs bizarres, chez les Lovering. Même Lucy le reconnaît. Son père tient la boutique bio du coin et il vend tous ces produits aux noms imprononçables dont Lizzie raffole.

Je ne suis pas certaine de savoir à quoi je m'engage...

Ça ne fait pas une demi-heure qu'on est installées devant la télé que Mme Lovering nous apporte nos assiettes.

— Mmmm ! Ça sent bon, s'enthousiasme Lizzie en humant la sienne.

Je jette un coup d'œil sceptique au contenu de la mienne. Carrément *space*.

Je prends mon ton le plus détaché pour demander poliment :

— Qu'est-ce que c'est ?

— Du quinoa et des légumes à la vapeur assaisonnés de sauce soja, répond Mme Lovering. Et, pour pimenter l'ordinaire, j'ai rajouté un peu de nori haché.

« L'ordinaire » ! Tu parles d'un ordinaire !

Lucy et moi échangeons un regard incertain. Je lui fais un clin d'œil et je m'exclame :

— Mmm ! mon plat préféré !

Lucy et moi éclatons de rire. Elle sait bien que « quinoa » ou « nori », pour moi, c'est du chinois.

Lizzie lève les yeux au ciel.

— Le nori est une algue et le quinoa, une graine d'Amérique du Sud. C'est excellent pour la santé.

Je prends bravement ma fourchette (encore une chance que ce ne soient pas des baguettes !) et je mâche avec soin l'échantillon que j'ai prélevé dans mon assiette. Il a un goût de riz, mélangé à de l'herbe fraîchement coupée, avec une pointe de citron.

Je laisse tomber mon verdict dans un murmure :

— Pas mauvais.

— Oui, approuve Lucy en mastiquant avec la même application que moi. Ça se laisse manger.

Et puis, tout à coup, la voilà qui lève le bras, posant le dos de la main sur son front, pour se mettre à déclamer avec son plus bel accent shakespearien :

— Et pourtaaaaaaannnnt ! Oooooooooh ! que ne donneraîîîîs-je pour un bon hamburger-friiiiiiiites, certains soââââârs !

Même Lizzie est pliée.

Une fois remise de mon fou rire, je lui demande comment se sont passées ses répét'.

— Dur dur ! soupire-t-elle. Mais l'éclate totale. Ils sont tous super-contents que je chante dans le groupe. Au début, j'étais nerveuse. Et puis on a passé tellement de temps à mettre au point les morceaux, à recommencer encore et encore, que j'ai oublié mes genoux qui tremblaient. À la fin, je ne pensais plus qu'à faire de mon mieux, en priant pour que cette fois-là soit la bonne.

— Qu'est-ce que tu vas te mettre pour monter sur scène ? s'enquiert Lucy.

— Je ne sais pas trop. Ma robe mauve peut-être... Et si...

Je la coupe tout de suite :

— Où se passe le concert ?

— Dans les environs de Kentish Town.

— Alors non, surtout pas ta robe mauve ! Trop *Peace and Love*. Il faut que tu aies l'air dangereuse, au contraire. Le genre « Quand on me cherche, on me trouve ».

— C'est exactement ce que Ben m'a dit. Il bosse dans cette boutique que tient son cousin à Camden Lock[1]. Oh ! c'est juste pour les vacances, histoire de gagner un peu d'argent pour louer un studio et enregistrer une démo. Il pense

1. Camden est un vaste marché aux puces, situé dans le nord-ouest de Londres. Camden Lock en est la partie la plus importante et la plus ancienne. Il comprend 250 stands et une centaine de boutiques répartis sur quatre marchés, trois ouverts et un couvert.

que je devrais aller y faire un tour avant de me décider.

— Si Ben est un vrai bouddhiste, tu risques de te retrouver déguisée en bonze !

— Naaan ! D'après lui, le spot est méga-top. Il m'a même dit qu'il n'avait jamais rien vu d'aussi hallucinant avant.

— Alors, on y va quand ? s'exalte aussitôt Lucy. La semaine prochaine ?

— O.K., répond Lizzie, gagnée par son enthousiasme. Excellent ! Et vous viendrez au concert aussi, hein ?

— Je ne raterais ça pour rien au monde ! s'écrie Lucy. Au fait, en dehors des répét', comment ça se passe avec Ben ?

— Trop bien ! s'exclame Lizzie, un sourire jusqu'aux oreilles. Il est tellement cool et... oh ! il nous a prévenus qu'il y aurait un type d'une maison de disques qui viendrait pour voir le groupe sur scène. Alors, il faut qu'il y ait un maximum de gens. Il faut leur montrer que King Noz a un vrai public, un public qui se déplace pour assister à ses concerts et... qui n'hésiterait pas à acheter ses disques.

Je tiens à l'assurer de mon soutien inconditionnel :

— Je viendrai avec Simon et les Princesses. Il est grand temps qu'ils comprennent qu'il y a une vie au nord de la Tamise...

PRADA & PREJUDICE

— Tasha ! Tu es su-bliiiiime ! s'écrie Tanya en m'ouvrant la porte. Ce look néo-romantique ! Ultra-tendance ! Où as-tu déniché ces splendeurs ?

Je la joue genre hyper-détachée, en pénétrant dans le vaste hall de marbre blanc :

— Oh ! une petite styliste que je connais.

Lucy est petite. On ne peut pas dire le contraire : elle ne mesure même pas un mètre cinquante.

Pour en revenir à mon look, je sais que j'assure : j'ai mis trois heures à me préparer ! J'ai décidé de montrer à Simon de quoi j'ai l'air quand je veux bien m'en donner la peine. Et je lui ai sorti le grand jeu : shampooing à l'huile de vison, masque aux germes de blé et rinçage à la camomille pour rendre mes cheveux hyper-soyeux, vernis Rouge Noir de Maman, khôl, rouge à lèvres et blush, plus tenue *absolutely fabulous* : veste et chemisier *from* Lucy Lovering. Au lieu des jodhpurs, j'ai opté pour la jupe. Une jupe bronze à falbalas que j'ai eue pour Noël. Le satiné du tissu et l'amour de petit volant à godets juste au-dessus du genou... Mmmm, top glamour. Avec la veste cintrée et le jabot, attention les yeux ! Touche finale, j'ai emprunté à Maman ses Jimmy Choos : in-con-tour-na-bles. Dans « Sex and the City », on ne voit qu'elles. Ce n'est pas difficile : tous les magazines *fashion* les ont élues les pompes les plus sexy du monde. Évidemment, à 480 livres la paire...

— Et ces Jimmy Choos ! s'extasie Tanya en achevant sa revue de détail. J'adorerais pouvoir en porter ! Hélas, chaque fois que j'en essaie une paire, je me tords les pieds. Alors que toi, elles te font une démarche de reine !

— Question d'entraînement.

Ha ! Si elle m'avait vue, il n'y a pas cinq minutes, au coin de la rue ! J'ai gardé mes baskets pour faire le trajet et je ne les ai troquées pour ces maudits talons aiguilles qu'au dernier moment. (J'avais bien trop peur de m'étaler avant d'arriver.) Mais les cinq cents mètres d'allée gravillonnée pour atteindre le porche : un vrai parcours du combattant !

— Viens, reprend Tanya. Simon est dans la bibliothèque.

— Avec Mademoiselle Rose et la corde ?

Il faut bien détendre un peu l'atmosphère : j'ai

l'impression que je viens d'entrer à Buckingham Palace !

Devant le manque de réaction de Tanya, je me sens obligée de préciser :

— Le Cluedo : « Qui est le meurtrier ? Le Professeur Violet, dans le hall, avec le poignard, ou Madame Leblanc, dans la bibliothèque, avec... » Oh ! laisse tomber.

Quand Tanya pousse la porte de la bibliothèque, je retiens in extremis un sifflement admiratif. Question style, ici, on joue dans la cour des grands : lourds drapés de soie ivoire encadrant des fenêtres qui doivent bien faire plus de dix mètres de haut ; canapés parme, qui sentent le designer top-classe à plein nez ; énorme cheminée tout en marbre blanc avec, de chaque côté, un buste sculpté, encadré d'une cascade de grappes de raisin et de feuilles de vigne... Quant à la bibliothèque, jamais vu une telle quantité de bouquins ! Bien rangés sur leurs étagères, ils tapissent trois murs entiers. Même le bouquet, posé sur le piano à queue, doit coûter une fortune à lui tout seul. Pas de banales tulipes pour cette auguste demeure, non, non ! Mais une artistique composition de lys, de roses et d'orchidées blanches.

Je me dirige d'un pas assuré vers le canapé sur lequel Simon semble faire un petit somme. À côté de lui, Hélèna déblatère dans son portable, tout en feuilletant un exemplaire de *Vogue*.

— Tasha est là, claironne Tanya.

Hélèna m'ignore. Elle se tourne même vers la cheminée pour continuer sa conversation en paix. Simon soulève une paupière et, tout à coup, son visage s'illumine.

— Je pensais justement à toi ! s'écrie-t-il en se levant pour m'accueillir. Tu es superbe !

Il pivote alors vers sa sœur pour lui lancer, d'un ton éloquent :

— Vous ne devriez pas être déjà parties, vous deux ?

— Si, si. Un ballet, m'informe-t-elle, en aparté. Quant à vous, j'imagine que le programme de la soirée est tout trouvé... ajoute-t-elle en coulant vers son frère un regard entendu. Allez, viens, Hélèna !

Hélèna me jette un coup d'œil en passant, puis un second nettement plus insistant pour m'examiner de pied en cap. Un léger haussement de sourcils trahit son appréciation, mais pas un mot ne franchit ses lèvres.

Alors qu'elle se penche pour prendre son sac sur la table basse, je m'exclame, pleine d'admiration béate :

— Ouah ! cool, le sac !

Elle affiche aussitôt un petit sourire satisfait. C'est plus fort qu'elle : il faut qu'elle se la joue.

— Merci, minaude-t-elle, manifestement flattée. C'est un Prada.

— Oh ! Comme dans ce livre de Jane Austen ?

Je sais : je n'aurais pas dû. Mais c'est sorti tout seul.

— Quel livre ?

Direct dans le panneau ! Elle me sert ma réplique sur un plateau. Un vrai bonheur !

— *Prada and Prejudice*.

Simon et Tanya éclatent de rire.

— Excellent ! s'exclame Tanya. *Pride and Prejudice* [1] est justement au programme du bac, cette année.

Hélèna ne rit pas. Elle ne grimace même pas. Pourtant elle possède tout un éventail d'expressions codifiées : une véritable gymnastique ! Et hop ! on lève le sourcil gauche : indifférence étudiée. Et hop ! on lève le sourcil droit : dédain. Et hop ! on lève les deux en même temps : profond ennui. Et hop ! on fronce les deux en même temps : réprobation...

Comme Tanya l'entraîne déjà vers la porte, je me souviens de la promesse faite à Lizzie.

Je les interpelle :

— Je voulais vous demander quelque chose.

Elles se retournent en chœur.

— Ça vous intéresserait de venir à un concert, vendredi soir ?

---

1. *Orgueil et Préjugé (Pride and Prejudice)* a été publié en 1813, deux ans après *Raison et Sentiment (Sense and Sensibility)*.

— Eh bien... Je ne pense pas avoir quoi que ce soit de prévu..., hésite Tanya en se tournant vers son clone.

— Oh ! moi, je suis overbookée, affirme Hélèna.

J'insiste lourdement :

— Une de mes amies chante dans le groupe. Elle a une super voix.

— Ne s'agirait-il pas d'une de ces filles qui étaient avec toi, lorsque je suis passée prendre ma tenue de concours, l'autre jour ?

Et hop ! On lève le sourcil droit.

— Exact. La brune. Elle écrit ses propres chansons et c'est la première fois qu'elle les interprète en public. Quant au groupe, il commence à faire parler de lui. King Noz : ça ne vous dit rien ? Ils sont archiconnus dans le nord de Londres.

— O.K. J'en suis, s'enthousiasme aussitôt Simon.

— Et... où se passera-t-il, ce... « concert » ? s'enquiert Hélèna d'un air pincé.

— Du côté de Kentish Town[1]. Je vous préciserai l'adresse dès que je la connaîtrai.

— Kentish Town ? Où diable cela peut-il bien se trouver ? s'écrie la pimbêche.

---

1. Quartier nord de Londres, au nord de Camden et à l'est de Hampstead.

Et hop ! On fronce les deux sourcils en même temps. Et le nez, par la même occasion.

Bêcheuse ! Je suis à deux doigts de lui expliquer que Londres ne s'arrête pas aux frontières de Notting Hill, mais, au dernier moment, je me rappelle que Lizzie a besoin d'un maximum de gens pour faire bonne impression auprès de la maison de disques et je serre les dents.

Soudain, c'est l'illumination.

Je sais comment te faire venir, ma petite vieille...

Je lance d'un ton dégagé :

— On est déjà plusieurs à y aller : Lucy, ses frères, Tony...

Hélèna dresse aussitôt l'oreille. Mais c'est Tanya que je regarde quand j'ajoute :

— Je suis sûre qu'il aimerait vous revoir...

Of course, Hélèna le prend pour elle.

— Nous pourrions peut-être y aller... lâchet-elle d'une voix lointaine. Au second degré, ce sera sans doute follement drôôôle.

— Rendez-vous pris pour vendredi, alors, confirme Tanya. Maintenant, il faut partir, Hélèna. Sinon, nous allons arriver en retard.

Elles n'ont pas passé la porte que je m'installe dans le canapé, à côté de Simon. Une belle flambée brûle dans l'âtre ; le bois craque dans le silence feutré : ambiance *cocooning* assurée. On se croirait revenu au beau milieu de l'hiver. Si je m'écoutais, je ne bougerais pas d'ici. Après tout, c'est la première fois que je suis vraiment seule avec Simon.

Je me blottis contre lui et je demande dans un murmure :

— Et si on restait ici ?

— *No problem*, répond-il en passant le bras autour de mes épaules.

— Cool.

Je lui prends l'autre main (il est parfois préférable d'occuper les mains des garçons, j'ai remarqué...).

Simon me dessine alors des arabesques au creux de la paume. Carrément divin ! En fait, j'ai découvert que se tenir la main pouvait être presque aussi top que de s'embrasser.

— Je voulais te demander quelque chose, dit-il en reprenant son souffle après un mégabaiser marathon. On est toute une bande à partir faire du ski, la semaine prochaine. À Courchevel. Un de mes copains nous a laissés tomber et je pensais que peut-être... Tu crois que tu pourrais venir ?

— Wouaou ! J'adorerais...

Mais pendant un instant, j'ai une vision de Maman, le front soucieux, l'air inquiet et ça suffit à me réfrigérer. Pas la peine de rêver. De toute façon, financièrement, mes parents ne pourront pas suivre.

C'est la minute de vérité : il est temps d'abattre mes cartes. On n'appartient pas au même milieu, Simon et moi. Et, maintenant que je vois où il vit, il est clair que je ne pourrai jamais tenir la distance.

« Il t'aime comme tu es, m'a pourtant affirmé Lizzie. Que tu sois en jean ou en Gucci. »

J'aurais bien besoin de ses encouragements, en ce moment.

Il faut que j'explique à Simon que je ne peux pas exiger un tel sacrifice de ma mère. Voyage, équipement à acheter, forfait, sans parler de l'argent de poche pour les sorties... Maman est déjà assez stressée. Je l'ai trouvée bien fatiguée, ces derniers jours... Et même Papa semblait tendu, au téléphone, l'autre soir. Si quelqu'un a besoin de vacances, ce n'est pas moi : c'est eux.

— Tu sais ce que j'admire vraiment chez toi ? me sort Simon, à l'instant précis où j'ouvre la bouche pour passer aux aveux.

— Non. Quoi ?

— Ta façon de prendre les choses. C'est incroyable ! Tu ne te laisses jamais démonter. C'est naturel chez toi. Dans la vie, tu vois, il y a deux camps : les vainqueurs et les autres. Toi, tu es de ceux qui gagnent. Les autres partent battus d'avance, mais pas toi. Toi, tu fonces. Quoi qu'il arrive.

Glups ! Comment lui déballer mes grandes révélations, après ça ? J'irais lui ôter ses belles illusions ? Lui expliquer que la petite amie super-battante qui n'a peur de rien et qui réussit tout ce qu'elle entreprend n'existe que dans ses rêves ? Lui dire que je ne peux pas aller à Courchevel ? Lui avouer que mes parents sont fauchés ?

Euh... je vais plutôt attendre un peu...

LE JOURNAL DE TASHA

Journée super-intéressante.

Simon habite une de ces baraques ! Un truc dément ! Hyper-sélect. Le top du top.

Rencontré la mère de Simon. En coup de vent. La grande classe. Élégance B.C.B.G. Raffinement haut de gamme. Blonde. Impeccablement coiffée. Tout en cachemire. Le genre qui ne transpire que le Chanel N° 5.

Mégadilemme, pourtant. J'ai dit à Simon que j'irais à Courchevel. D'après Tony, c'est une super station de ski fréquentée par un tas de gens célèbres.

I-na-bor-dable.

J'ai bien repensé à contacter l'agence de mannequins. Mais, même si ça marchait, je n'aurais pas l'argent à temps. Alors voilà: je vais retirer les trente livres qui restent sur mon livret et je vais les jouer. À la loterie. Pas au tirage : trop long. Au grattage.

Que la chance soit avec toi, Tasha Skywalker !

10

CYBERDOG

— Non mais, tu es malade !

C'est l'accueil que me réserve Lizzie, en me rejoignant au coin de la rue où je lui ai donné rendez-vous. Je viens de lui expliquer mon plan par portables interposés.

— Tu sais combien de chances tu as de gagner à ces trucs débiles ? Une sur dix millions !

— Et alors ? Pourquoi pas moi ?

— Je rêve ! Et pourquoi on doit aller se perdre jusqu'au fin fond de Finchley ?

— Pour ne pas se faire repérer. Je ne peux pas prendre le risque de tomber sur Maman ou sur Tony. Ni sur qui que ce soit qui habite à moins de cinq kilomètres de la maison, d'ailleurs.

— Lucy nous retrouve où ?

— Nulle part. Je ne lui en ai pas parlé. Il faut avoir seize ans pour acheter ces trucs. Quelqu'un pourrait percuter que je n'ai pas l'âge, si elle était avec nous.

— Tu n'as rien laissé au hasard !

— Non, hein ? Enfin... si, tout le reste. Après tout, ce sont des jeux de hasard ! Ah ah !

— Hi-la-rant ! Bon. Tu sais ce que j'en pense, hein ? Maintenant, tu fais ce que tu veux... Et puis, de toute façon, je ne resterai pas longtemps : j'ai promis à Lucy de l'emmener chez Cyberdog aujourd'hui.

— « Cyberdog » ?

— C'est là que Ben travaille. La boutique appartient à son cousin et il a dit que je pourrais emprunter une tenue pour le concert parce que ça lui ferait de la pub.

— Cool. Peut-être que je pourrai me payer un truc là-bas, avec l'argent que je vais gagner. Il me reste trente livres. Pour jouer, c'est plutôt honnête comme mise de départ, non ? Le hasard n'a qu'à bien se tenir !

— Mmmh. Ne viens pas te plaindre après...

— Arrête ! Je me sens en veine, aujourd'hui. Et puis, mon horoscope m'annonçait « une bonne surprise » cette semaine.

L'excuse est imparable pour une fana d'astrologie comme elle.

On arrive bientôt devant un marchand de journaux dont l'enseigne annonce « *National Lottery* » au-dessus de sa devanture. Je regarde à droite et à gauche pour être sûre qu'il n'y a personne de connaissance dans la rue.

J'ai l'impression d'être une espionne en mission spéciale.

Avec un air mystérieux, je chuchote à l'oreille de Lizzie :

— Appelez-moi Bond. James Bond. Nom de code : 007.

— Ce sera plutôt triple zéro quand tu te retrouveras les poches vides, raille-t-elle.

— Tu veux me porter la poisse, ou quoi !

Je jette un rapide coup d'œil à l'intérieur et, jouant à la perfection mon rôle d'agent secret, je murmure :

— La voie est libre.

J'ouvre la porte et j'avance à pas comptés vers la caisse. Bon. Et maintenant, quel ticket je prends ? Il y en a au moins dix modèles différents.

— Tu comptes en prendre un de chaque ? demande Lizzie, en examinant le présentoir avec la même perplexité que moi.

— Non. J'ai lu quelque part qu'ils ne mettaient qu'un seul ticket gagnant à intervalles plus ou moins réguliers. J'en déduis que j'ai plus de chances de gagner si j'achète plusieurs tickets de la même série.

Allez ! C'est décidé, je tente le super-banco.

Je demande à la vieille femme qui tient la caisse :

— Est-ce que je peux avoir cinq de ces tickets ? Ceux pour cent mille ?

Autant viser haut dès le début, non ?

Je sens déjà un frisson d'excitation me parcourir de la tête aux pieds. Le sort en est jeté !

J'entraîne Lizzie vers la porte. On va s'asseoir sur un banc. Je sors alors une pièce de mon porte-monnaie. Je m'apprête à gratter mon premier ticket quand Lizzie me lance :

— Qu'est-ce que tu ferais de ton argent, si tu gagnais ?

Ah ! mon fantasme préféré !

— J'organiserais d'abord une mégafête pour tous mes copains... J'achèterais des tonnes de fringues... une voiture...

— Tu n'as pas le permis.

— Pour plus tard, quand je l'aurai. Après, je vous couvrirais de cadeaux : Lucy, toi, Tony, mes parents... Je vous emmènerais en vacances. À Saint-Kitts, dans les Caraïbes. Ma mère est née là-bas. Un vrai paradis ! Du sable blanc et fin comme du talc. Et les couleurs : à mourir ! Turquoise, aigue-marine, vert émeraude... Sublimissimes. Et puis après, je vous emmènerais à Ravello, en Italie, là où mon père est né. C'est en dessous de Naples. Gé-nial. Ensuite, je m'achèterais un super appart'. Et je me paierais des leçons d'équitation. Et j'en paierais à Lucy, aussi. Et je t'achèterais un appart' pour toi toute seule. Et...

— Euh... Tasha..., m'interrompt Lizzie en gloussant. Si jamais tu gagnes, tu n'auras QUE cent mille livres à dépenser...

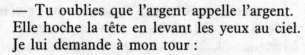

— Tu oublies que l'argent appelle l'argent.

Elle hoche la tête en levant les yeux au ciel.

Je lui demande à mon tour :

— Et toi, qu'est-ce que tu ferais ?

— Je voyagerais. L'Inde : Goa. Les *States* : Los Angeles. La Thaïlande : Phuket. Je mettrais de l'argent de côté. Je monterais un groupe. Je sortirais un C.D. Des trucs comme ça...

— Bon ! C'est parti !

Je gratte la première carte.

Rien.

Je gratte la deuxième. Mon cœur s'emballe. Un premier *£ 100 000* apparaît, puis un second...

— Oh *my God* !

Je retiens mon souffle. Les dernières cases...
£ 6 ; £ 10 ; £ 5.

Mon enthousiasme retombe d'un coup et mon estomac commence à faire des nœuds.

Surtout rester zen. Tous les espoirs sont permis : j'ai encore trois tickets.

Lizzie bout à côté de moi. En me voyant gratter la dernière case de la dernière carte, elle doit se mordre la langue pour ne pas me sortir le « Je te l'avais bien dit ! » de rigueur.

J'agite le ticket sous son nez et j'annonce d'un ton triomphant :

— J'ai gagné ! J'ai gagné !

— Combien ? lâche-t-elle dans un souffle.

— Une livre ! *Yesss !* Viens, je vais empocher mon lot de consolation.

Après avoir été chercher ma pièce d'une livre chez le marchand de journaux, nous descendons la rue pour nous arrêter, un peu plus loin, dans une station-service. À peine si le type me regarde. J'en profite pour prendre dix tickets. Et voilà que je sens de nouveau l'impatience me gagner : les frissons, l'exaltation... Oh ! J'en tremble presque.

Assises sur le petit mur de brique de l'autre côté de la rue, je gratte cinq cartes et Lizzie, les cinq autres. Cette fois, je gagne DEUX livres ! Pas grave : il m'en reste encore quinze.

— Tasha ! trépigne Lizzie. Tu as déjà perdu la moitié de ton livret. Ça me rend malade. Ton horoscope avait raison. Tu l'as eue, ta bonne surprise : tu as gagné trois livres. On va s'acheter des frites avec et on file chercher Lucy.

Absolument hors de question que j'abandonne maintenant ! D'abord, c'est bien trop éclatant. Et, ensuite, la partie n'est pas finie : je n'ai pas encore perdu tout mon argent (juste la moitié...).

— Essayons le bureau de poste.

Je prends Lizzie par le bras pour l'entraîner vers le haut de la rue. Mais je sens, tout à coup, comme une résistance...

— Moi, je vais chez Lucy, annonce Lizzie, sans bouger d'un millimètre. Tu viens avec moi, oui ou non ?

— Pas question. J'en ai pour dix minutes. Tu peux bien m'attendre.

— Non. Tu es en train de jeter ton argent par les fenêtres. Je ne veux pas voir ça.

Rabat-joie ! Il faut que je continue. Obligé. Je ne peux pas abandonner à mi-parcours.

— Je te retrouve chez Lucy, dès que j'ai fini. Mettez le champagne au frais.

— Mais oui, c'est ça, bougonne Lizzie en se dirigeant vers l'arrêt de bus. À plus.

Je remonte la rue en soufflant comme un bœuf : je suis tellement énervée qu'on pourrait me croire en train de courir le cent mètres.

Quand j'arrive devant le bureau de poste, j'ai des palpitations. Le ticket gagnant est là. Je le sens. Je le sais. Je pousse la porte vitrée et qui je vois dans la queue ? Mlle Nollan ! Demi-tour à droite, droite ! Ouf ! Je l'ai échappé belle ! Tomber sur une prof du lycée : il n'y a qu'à moi que ça arrive des plans pareils !

Je file jusqu'au bout de la rue et, là, j'aperçois un bureau de tabac. Je rentre et j'achète sept tickets.

Je les glisse dans mon sac et je retourne à la poste.

Je vérifie que Mlle Nollan est partie et je prends mon tour dans la file d'attente. Je me sens carrément euphorique. Je suis persuadée que le ticket gagnant est là.

Comme la vieille dame qui me précède prend ses timbres pour s'en aller, je m'approche du guichet. Tout à coup, elle semble se raviser et se retourne vers l'employée.

— Oh ! et puis, après tout, marmonne-t-elle en désignant le présentoir de jeux du menton. Donnez-m'en trois.

C'est alors qu'elle me voit.

— Oh ! désolée, mon petit ! s'affole-t-elle. Je t'ai volé ton tour. Passe donc. Je ne suis pas pressée.

Panique à bord ! Qu'est-ce que je dois faire ? La laisser acheter les trois prochains tickets ou les prendre à sa place ? La laisser passer devant moi ou accepter sa proposition ? Et si le prochain ticket était le bon ? Argggggh !

Conséquence de ma bonne éducation ou de ma généreuse nature (si Liz et Lucy m'entendaient !), je m'efface en murmurant :

— Non, non, je vous en prie.

La vieille dame achète donc ses trois tickets, me sourit et s'éloigne.

Je glisse tout l'argent qui me reste vers la préposée et je demande d'une voix ferme :

— Huit à cent mille livres, s'il vous plaît.

Elle sourit derrière son guichet.

— On se sent en veine, aujourd'hui ? dit-elle en me tendant mes huit tickets.

J'acquiesce dans un murmure. Mais je n'en suis plus si sûre...

J'attends d'être installée au fond du bus qui m'emmène chez Lucy pour commencer ma

135

séance de grattage. D'abord, les cartes de la poste. Une... deux... trois, quatre, cinq, six, sept, huit. Rien. Même pas une livre !

Je sors alors les sept tickets du bureau de tabac de mon sac. Gratt' gratt' gratt'. Un, deux, trois, quatre, cinq, six. Rien.

À l'excitation du début succède la déception. Puis l'horreur absolue. J'ai tout dépensé : je n'ai plus un sou !

Il me reste une carte. Une seule carte.

Je prends une profonde inspiration et je me penche, pièce en main, pour découvrir si la chance m'a vraiment laissée tomber. Mais, au dernier moment, je me fige. Je préfère la garder pour plus tard, finalement. Tant que je ne l'ai pas grattée, j'ai encore l'espoir de gagner, non ? Je la range dans mon porte-monnaie. Je la gratterai chez Lucy.

Une angoisse horrible me vrille l'estomac. Je n'ai plus du tout d'argent, maintenant. Ce n'était pas prévu au programme, ça !

En arrivant chez Lucy, je lui tends d'entrée mon ticket pour qu'elle le gratte et je détourne la tête.

— Je suis désolée, Tasha, dit-elle d'un air navré.

Je pousse un mégasoupir.

— Je vais devoir m'inscrire aux Joueurs Anonymes, maintenant que je suis accro.

— Arrête, se marre Lizzie. Je crois que le seul

ticket auquel tu devrais te limiter, c'est celui que tu as avec tous les garçons, en général, et avec Simon, en particulier : au moins, tu es sûre de gagner !

M. Lovering nous a emmenées à Camden. Tous les gens se retournaient, sur le trajet. Elle fait sensation, sa voiture. C'est une Coccinelle. Modèle années soixante. Turquoise. Avec une énorme fleur mauve peinte sur le capot. Par contre, à Camden, on est passés complètement inaperçus. Pas un regard. Pas même un battement de cils. Depuis que la mode est revenue aux pattes d'éph' et au *tie and dye*, le look bab' fait un tabac, là-bas.

— D'après Ben, la boutique se trouve dans les galeries, du côté des anciennes écuries, nous informe Lizzie en nous faisant emprunter une entrée qui donne à l'arrière du marché principal.

Ici, les gens ont l'air d'aller soit à un bal costumé, soit à un mégameeting intertribal. Et des tribus, ce n'est pas ce qui manque : des skinheads, des gothiques, des babas, des rastas... Il y a même des punks ! Et, au milieu de cette faune hétéroclite, errant au hasard avec des regards hallucinés, des petits groupes de touristes dans leur Benetton du dimanche !

Pendant qu'on se fraie tant bien que mal un chemin à travers la marée humaine, je tire Lucy par la manche pour lui chuchoter avec une mine horrifiée :

— Ne... ne te retourne surtout pas ! Derrière nous. Une armée de zombies en quête de viande fraîche. On est fichues !

Lucy glousse en voyant la bande de filles qui nous suit. Look gothique standard : habillées de noir, le visage tartiné de fard blanc, les yeux charbonneux, la bouche noire et quelques mèches violettes dans leurs cheveux noir corbeau, hirsutes et si raides qu'ils semblent n'avoir jamais vu une seule goutte de shampooing. De leur vie !

Je me penche vers Lucy pour lui confier, entre haut et bas :

— Je me demande ce qu'on va trouver dans la boutique de Ben. La plupart des gens qu'on a vus, jusque-là, sont soit bab', soit gothiques, soit punks. Rien de bien nouveau à ce que je...

— D'après Ben, c'est l'endroit le plus *hype* de Londres, en ce moment, m'interrompt Lizzie.

— En tout cas, moi, je compte bien y pêcher quelques bonnes idées pour mes prochaines créations, affirme Lucy. Tous les magazines disent que la tendance est au *vintage* customisé. Il faut que je vérifie sur place.

Une délicieuse odeur de caramel me met brusquement l'eau à la bouche. Là, sur la droite, un vendeur de pralines. Je m'en achèterais bien, mais je n'ai plus d'argent !

Je laisse échapper une plainte déchirante :

— Pitié ! J'ai faaaaaim !

Lizzie lève un sourcil narquois.

— Tu ne peux t'en prendre qu'à toi, me rappelle-t-elle.

Bonjour la compassion !

Je lui tire la langue au moment où elle me tourne le dos pour nous entraîner dans une allée latérale. Aux effluves de nourriture succèdent bientôt de violents parfums d'encens.

Une musique assourdissante semble provenir d'une voûte, sous la galerie, dans le fond.

— C'est là, s'écrie Lizzie, en désignant du doigt l'enseigne « Cyberdog ».

En entrant, je sens la musique me remonter dans les jambes. Le sol vibre avec les basses.

C'est comme si on venait de monter à bord d'un vaisseau spatial. Les murs de brique sont peints en argent, orange et turquoise. Des gens, assis à des tables en Plexiglas alignées le long des murs, jouent en réseau sur des iMac fluo, en buvant du café.

Pendant que Lizzie va chercher Ben, Lucy et moi franchissons une arcade pour pénétrer dans ce qui pourrait passer pour une boutique de fringues... sur une autre planète.

Les modèles exposés semblent sortir tout droit d'un épisode de *Star Trek*. Un des tops ressemble à un moulage d'écorché dans une sorte de gomme rouge, avec des baleines métalliques en saillie qui représentent les côtes. Beurk : je n'ai plus faim, tout à coup. Et je ne parle même pas des vendeurs : une bande de mutants extraterrestres qui pogotent dans tous les sens au rythme de la musique.

Pétrifiées sur place, Lucy et moi devons avoir l'air de deux paumées, parachutées, du fin fond de leur cambrousse tatooinesque, sur Coruscant. Une des filles, en face de moi, a le crâne rasé avec, dans la nuque, une petite queue de cheval rose fluo. Elle est en total look jaune citron. Ses mollets disparaissent sous d'énormes guêtres de fourrure synthétique. Elle a au moins une douzaine d'anneaux à chaque oreille, un piercing dans la narine et un autre juste sous la lèvre inférieure.

Je glisse en douce à Lucy :

— Je plains celui qui l'embrasse !

Mais mes commentaires la laissent complètement froide : elle est bien trop fascinée par le décor.

— Regarde ça ! s'écrie-t-elle en me tirant par la main pour aller examiner les bijoux.

La plupart sont en plastique translucide ou en gomme, ornés de « cellules photosensibles » ou d'hologrammes. Sans parler des gants de motard cloutés multicolores et des colliers de chien hérissés de pointes fluo.

— Incroyable ! En plus, ici, les filles ressemblent à un croisement de Princesse Xena et

d'Olive, tu sais, la copine de Popeye ? commente
Lucy en suivant des yeux une des vendeuses en
robe noire ultracourte et collants rayés, juchée
sur les semelles d'au moins douze centimètres de
ses bottes noires lacées jusqu'aux genoux.

— *New Rock*, précise Ben en arrivant derrière
nous, le doigt pointé sur les bottes en question.
Tout le monde en porte.

Même Ben a fait quelques concessions pour
s'adapter au style maison : il a troqué ses petites
besicles à la John Lennon pour des lunettes de
piscine en caoutchouc argent, arbore une combi-
naison – genre bleu de travail, mais blanche –
pleine de zips argent partout et porte aux pieds
des moonboots argent.

— Où est passée Liz ? s'étonne Lucy.

— Partie se changer, répond Ben.

C'est alors que notre copine s'encadre sous la
voûte.

— Ça vous plaît ? demande-t-elle timidement.

Elle est... hallucinante ! Mé-ta-mor-pho-sée !

Elle porte une minirobe noire ras du cou sans
manches. Jusque-là, rien d'extraordinaire. C'est
le bas qui est sidérant : une jupe rigidifiée au fil
de fer et toute cabossée – sorte de crinoline version destroy – sur des collants noirs, artistique-
ment déchirés, qui disparaissent sous des guêtres
de fourrure semblables à celles de la vendeuse
mutante, sauf que celles de Lizzie sont bleu électrique. Elle a enfilé de longs gants turquoise

assortis à son collier de chien hérissé de pointes métalliques.

Je lâche dans un souffle :

— Une rock-star intergalactique.

— Rock nanarama, décrète Lucy d'un ton définitif.

— Je pourrais mettre des faux cils bleu électrique, et peut-être des extensions, hasarde Lizzie. Vous savez, celles qui font dreadlocks ? Qu'est-ce que tu en penses, Lucy ?

— Je pense, rétorque Lucy, les yeux brillants, que cet endroit est LE must absolu. Le méga-top de chez méga-top. Ces fringues sont intersidérales. Ici, le paradis des novonautes : tout le monde descend !

LE JOURNAL DE TASHA

Cher journal,

Des journées aussi déprimantes, ça ne devrait même pas exister. J'ai joué tout mon argent et j'ai perdu. Et puis, je suis allée à Camden avec les filles et j'ai vu des millions de trucs qui me plaisaient. Évidemment, je n'ai rien pu m'acheter. Je n'avais même pas de quoi me payer un café : l'horreur ! C'est Ben qui m'en a offert un. S'il savait que je suis une accro du grattage qui se noie avec délectation dans le matérialisme primaire, fléau du monde occidental corrompu...

J'ai reçu une sacrée leçon, aujourd'hui : si je n'avais pas perdu tout mon argent, j'aurais pu vraiment m'éclater à Camden. Je me serais offert un de ces colliers de princesses intergalactiques à tomber.

J'ai essayé de ne pas le montrer aux filles, mais j'ai bien senti que ma dépression sous-jacente chronique tentait une mégapercée.

En clair, pour être tout à fait honnête, je me suis ennuyée comme un rat mort.

11

F.H.F.I.

Comment Ben et ses copains s'y sont pris pour trouver un endroit pareil, je l'ignore. Je sais juste que ça ressemble plus à un garage désaffecté qu'à une salle du concert ! L'estrade de bois vermoulu, qui fait office de scène, semble sur le point de s'effondrer sous le poids des instruments ; les tables et les chaises de plastique, alignées contre le mur, sentent la récup' limite décharge municipale et les lambeaux de rideaux pendant aux fenêtres ne parviennent pas à cacher des carreaux qui n'ont pas vu un chiffon depuis trois siècles.

— Il y a vachement de monde ! s'exclame Lucy en jetant un regard circulaire.

Trois groupes sont prévus au programme et chacun a rameuté un maximum de copains pour l'encourager. Sans compter les familles venues en renfort. Le bouche-à-oreille a fait le reste.

Je hoche la tête, tout en examinant l'assistance, et lâche dans un murmure songeur :

144

— La tête de Hélèna quand elle va débarquer dans ce squat paumé...

— Oh mais à ce niveau-là, le look trashy chic, c'est tout un art ! ironise Lucy. Ça demande des années d'efforts et d'application pour parvenir à un tel degré de perfection.

Elle n'a pas fini sa phrase que Simon s'encadre dans la porte avec les Princesses de Portobello. Au premier coup d'œil qu'elle jette à l'intérieur, Hélèna se décompose.

— Ah ! voilà LNaz, m'annonce Lucy avec jubilation. Oh oh ! On dirait qu'elle n'apprécie pas le parfum d'ambiance...

— Tu m'étonnes ! Mais laisse-moi donc faire les présentations officielles, ma chärrrie !

Simon se montre aussi charmant avec Lucy que Hélèna est imbuvable. Les salutations d'usage expédiées, il demande aussitôt à chacune ce qu'elle veut boire et se dirige vers le bar voisin pour aller passer commande. J'en profite pour m'éclipser aux toilettes.

D'abord, pause devant la glace et léger raccord de rouge. Je viens à peine de m'enfermer au petit coin quand j'entends la porte battante s'ouvrir et un claquement de talons sur le carrelage.

— Quel bouge infâme ! s'offusque une voix que je reconnais immédiatement. Irrespirable ! Si je n'étais pas sûre que Tony vienne, je rentrerais sur-le-champ.

— Tiens, tiens ! Enfin remise de ta rupture avec Simon ? lui demande Tanya.

Essayant de faire le moins de bruit possible, je relève les jambes – au cas où les princesses décideraient de vérifier qu'elles sont bien seules (j'ai vu ça dans les films).

— Oh oui, bien sûr ! Quoique je ne parvienne toujours pas à comprendre comment il peut sortir avec le zèbre.

— « Le zèbre » ?

— Tasha. Mi-noire mi-blanche, ricane Hélèna.

J'en ai le souffle coupé.

— Hélèna, c'est d'une mesquinerie ! Tu es jalouse parce qu'elle est sublime et que Simon la trouve plus séduisante que toi.

Bravo, Tanya ! Ça, c'est envoyé ! J'ai envie de hurler : « Question ordures, la Terre affiche complet. Retourne dans ta décharge, Hélèna ! »

— Tasha ne lui plaît pas vraiment, rétorque la peste. De toute façon, Simon est beaucoup trop bien pour elle. Il sort avec elle pour se distinguer. Fréquenter une fille de nouveaux riches, et, qui plus est, de race indéterminée, c'est une manière comme une autre de provoquer ses parents. Sa façon à lui de jouer les rebelles. Cela lui passera.

Argghhh ! Aaaaarrrrrgh !

Long moment de silence.

146

— Tu peux vraiment être garce, quand tu t'y mets, Héléna ! siffle la voix acerbe de Tanya.

— À t'entendre, on croirait que c'est un défaut ! s'esclaffe Héléna.

La porte claque (derrière Tanya, j'imagine), puis un froissement d'étoffe, le chuintement d'un vaporisateur. Des effluves de tubéreuse se dissipent dans la pièce, et de nouveau la porte se ferme.

Le silence retombe, sinistre.

J'attends quelques secondes avant de reposer les pieds sur le sol. J'ai l'impression d'avoir reçu un coup de poing à l'estomac, la douleur me plie en deux et je halète comme un chien en bout de course. Si seulement je n'avais pas écouté aux portes ! Qu'est-ce que je donnerais pour ne jamais avoir entendu ça !

C'est impossible ! Simon ne peut pas sortir avec moi uniquement pour jouer les rebelles ou faire dans l'exotisme bon marché ! Juste pour se donner des frissons, braver les interdits, tester la tolérance de ses parents ? Se... « distinguer » ? Les larmes me montent aux yeux. Moi qui le croyais amoureux ! Sa mère s'est pourtant montrée gentille avec moi. Elle n'a pas paru choquée, ni même contrariée de me voir chez elle. Aurait-elle caché sa déception par politesse ? Est-ce que, sous ses dehors affables, elle était atterrée en découvrant la dernière conquête de son fils ?

147

J'ai soudain l'impression de manquer d'air. J'étouffe. Et, brusquement, le barrage cède : je fonds en larmes.

Sur la porte des toilettes, les graffitis dansent devant mes yeux. « Chienne de vie ! », dit l'un. « L'enfer est ici », dit l'autre. « L'enfer, c'est avant et, après, c'est le néant », résume un troisième. Oui, la vie est un enfer : mon petit ami se sert de moi pour choquer ses parents ; les miens n'ont plus de travail ; je passe mon temps à vouloir des choses que je ne peux pas avoir ; j'ai perdu tout l'argent que j'avais économisé... Je suis tombée bien bas ! Et je ne sais même plus comment je m'appelle !

Un timide toc toc toc ! sur la porte me réveille de mon cauchemar.

— Tasha ? Tu es là ? s'inquiète Lizzie.

J'ôte le verrou et j'éclate en sanglots.

— Ou... oui, c'est mo... moi.

— Oh, Tasha ! s'écrie-t-elle en poussant la porte. Qu'est-ce qui se passe ?

J'aspire à grandes goulées pour lui raconter ce qui m'est arrivé. Lizzie m'écoute sans broncher. Quand j'ai fini, elle explose, frémissante de rage :

— Oh, la garce ! crache-t-elle en me tendant un morceau de papier toilette pour sécher mes larmes. Je lui mettrais bien ma main dans la figure à cette teigne ! fulmine-t-elle. Avec Tanya, elles sont plantées au fond de la salle, raides comme des piquets, avec leurs grands airs supérieurs, bien à l'écart genre « Ne nous mélangeons surtout pas à la masse » !

Je tiens à disculper la sœur de Simon. Après tout, elle a plaidé ma cause.

— Tanya a été sympa : elle m'a défendue.

— Alors, je me demande ce qu'elle fabrique avec Hélèna. Si une de mes copines sortait des trucs pareils, je la laisserais tomber vite fait. Et je ne voudrais plus jamais lui parler. Non mais, tu les as vues ? Elles sont carrément pendues à leurs portables. Elles se les ont fait greffer, ou quoi ! C'est dingue ! Elles ne les ont pas lâchés depuis leur arrivée.

— Elles sont toujours comme ça.

— Au lieu de « Foulard Hermès, Collier de Perles », on devrait les appeler les F.H.F.I. : Foulard Hermès, Forfait Illimité, persifle Lizzie avec un petit sourire sarcastique. Je pourrais écrire une chanson sur elles : *Les Greffées du Portable, blondes froides clonées et imbuvables, Foulard Hermès Forfait Illimité, Fringues griffées et parfait pedigree*... Oui, oui, je vais cogiter là-dessus...

Je me sens un peu mieux. Assez bien, du moins, pour sourire à Lizzie à travers mes larmes.

C'est seulement après m'être mouchée et avoir essuyé mes joues barbouillées de mascara que je remarque ce qu'elle porte. Non seulement elle a mis la tenue de Cyberdog, mais elle s'est aussi ombré les paupières de fard argenté, collé des faux cils bleu électrique et glissé au médium de la main droite, par-dessus son gant, la plus énorme bague en argent de la galaxie : une sorte de tête de démon avec des cornes démesurées. Elle s'est fait une queue de cheval presque au sommet du crâne, a lissé ses cheveux avec un gel argenté et s'est dessiné un éclair bleu au milieu de front.

— Ouah ! Lizzie ! tu es... sidérale !

— Tu trouves ? Ça ne fait pas un peu trop ?

— Si, si, carrément trop. C'est ça qui est génial. Tu es trop belle. Une véritable princesse intergalactique. Je me sens si terne à côté de toi.

— Tu es top fab, comme d'habitude, me rassure Lizzie. Ce look d'amazone du bitume te va comme un gant.

J'ai ressorti ma panoplie préférée : pantalon et spencer de cuir noir.

— Tu es cent fois mieux que ces deux clones B.C.B.G., là-bas, poursuit Lizzie. Toi, au moins, tu as un style qui n'appartient qu'à toi. Ça s'appelle de la personnalité. Elles ne savent même pas ce que c'est !

Elle me serre dans ses bras, puis me plante dans les yeux un regard hyper-sérieux.

— Ne te laisse pas entamer par Hélèna, conseille-t-elle. Elle n'en vaut pas la peine. Lucy et moi, on se fait du souci pour toi. Tu as changé depuis que tu la connais. Crois-moi, Tasha. Tu n'as rien à prouver. Surtout pas à des gens comme elle. Allez, viens. Passe-toi un peu d'eau sur la figure et sortons d'ici.

Je m'asperge le visage d'eau fraîche, puis j'essaie de réparer tant bien que mal les dégâts à grand renfort de maquillage.

— Je te propose un *deal*, reprend Lizzie en se mettant du rouge à lèvres bleu fluo. Toi, tu retournes là-bas et tu danses sur la piste pour montrer à ces pimbêches ce que s'éclater signifie. Moi, je monte sur scène et je leur prouve que les filles des quartiers nord en ont dans le ventre.

— Ça marche !

On se tape dans la main pour sceller le marché.

Puis je lui demande, soudain inquiète :

— Comment tu te sens ?

Elle se redresse et rejette fièrement les épaules en arrière... avant de s'avachir et de s'écrouler contre le mur.

— J'ai une peur bleue, Tasha. Je meurs de trac.

Elle sort alors une petite bouteille de son sac et la vide d'un trait.

— Lizzie ! tu... tu bois ?

— C'est du mélèze ! Un élixir floral du Dr Bach contre le manque de confiance en soi. Les Fleurs de Bach, tu ne connais pas ?

Cette fille est complètement givrée ! Mais je l'adore. Toute sorcière déjantée qu'elle soit, je l'adore.

Quand nous arrivons dans la salle, le premier groupe a déjà commencé. Lizzie file dans les coulisses, pendant que je rejoins Lucy, en grande conversation avec Simon.

— Ça va ? demande Simon en me regardant avec insistance.

— Oui, oui, super.

Je l'attire un peu à l'écart et j'ajoute à mi-voix :

— J'ai quelque chose à te demander.

— Oh oh ! ça a l'air grave, raille-t-il, l'air amusé. Je t'écoute.

— Est-ce que tu sors avec moi pour provoquer tes parents ?

— Quoi ! s'écrie-t-il en écarquillant les yeux. Bien sûr que non ! Et puis en quoi le fait de sortir avec toi pourrait ennuyer mes parents ? Maman t'a trouvée adorable, l'autre jour. Pourquoi voudrais-tu qu'elle pense autrement, de toute façon ?

— Eh bien... parce que je suis... enfin, tu sais...

— Quoi ? Parce que tu es quoi ?

Il plisse les yeux pour me dévisager, la tête penchée sur le côté.

— Ah ! j'ai compris. Eh bien, en fait, je crois que Maman est un peu ennuyée, finalement. Beaucoup même... Et Papa le sera aussi, pas de doute...

Oh non ! Hélèna avait raison !

— Tu vois, reprend Simon, après un silence étudié, Papa va être fou de jalousie quand il découvrira que je sors avec la plus belle fille de Londres et qu'il est beaucoup trop vieux pour avoir la moindre chance auprès d'elle. Et Maman aussi. Pour la même raison. Elle aura beau se faire tartiner de crèmes miracle et de fards en tout genre, elle ne pourra jamais être aussi jolie que toi.

Il me prend alors dans ses bras et me serre très fort.

— Rassurée ?

— Rassurée.

Et d'autant plus satisfaite que, du coin de l'œil, j'aperçois Héléna qui blêmit et me fusille du regard. Au même moment, Tony arrive et file vers Lucy, sans un regard pour la pimbêche.

J'ai presque pitié de Héléna en la voyant faire des pieds et des mains pour attirer l'attention de mon frère. Surtout qu'elle est toute seule dans son coin, maintenant. Tanya lui tourne le dos : elle ne veut plus lui parler, c'est clair.

Alors que Tony et Lucy rejoignent la piste, Héléna s'avance vers moi.

— Qui est donc cette fille qui se pend au cou de ton frère ? m'interroge-t-elle.

Cette fois, Ton Altesse, je ne vais pas te rater.

Je lui réponds d'un ton acerbe :

— « Cette fille » s'appelle Lucy. Et c'est l'une de mes meilleures amies. Je te l'ai présentée, tout à l'heure. De plus, si tu regardes de plus près, tu verras que ce n'est pas elle qui est pendue au cou de mon frère, mais l'inverse.

— Ah ! s'esclaffe-t-elle. J'en doute fort. Elle a l'air à peine sortie de la maternelle !

Je prends alors ma voix la plus mielleuse pour lui demander, sur le ton de la confidence :

— Tu l'aimes bien, Tony, hein ?

— Il est sympathique, répond-elle en regardant autour d'elle d'un air détaché. Pourquoi ? T'aurait-il parlé de moi ?

— Tu plaisantes ? Il n'arrête pas depuis qu'il t'a rencontrée.

C'est la plus stricte vérité : il n'a pas cessé de critiquer son attitude arrogante et son allure de fille à papa prétentieuse. Je vois bien qu'elle meurt d'envie d'en savoir plus, mais, comme Tanya me fait un signe de la main, je la prie poliment de m'excuser pour aller rejoindre la sœur de Simon.

Tanya m'invite d'abord à la suivre dans une impasse déserte qui longe le pub, puis sort de son sac une bouteille de champagne, un pack de jus d'orange et des coupes de plastique.

— J'ai apporté des munitions, annonce-t-elle en riant. C'était pour Hélèna et moi... enfin, comme elle m'énerve... J'ai pensé que tu aimerais peut-être prendre un verre avec moi. Tu connais le Bellini ?

— Non. Qu'est-ce que c'est ?

— Champagne et jus d'orange. Normalement, c'est du jus de pêche frais. Mais ils n'en avaient pas en magasin. Tu en veux un ?

— O.K.

Je n'ai jamais bu d'alcool. Juste un peu de vin à table. Et j'ai détesté. On dirait du vinaigre. Sauf que je ne voudrais pas décevoir Tanya. D'autant plus qu'elle fait un effort pour se montrer sympa avec moi. Et puis, elle m'a défendue, tout à l'heure, non ? Ce ne sont pas quelques gorgées de champagne qui vont me faire du mal. Surtout s'il est dilué avec du jus d'orange.

Tanya me sert une coupe avant de remplir la sienne.

— À l'amitié ! déclare-t-elle en trinquant avec moi.

Mmm ! C'est drôlement bon ! Rien à voir avec le goût âcre du vin. Le jus d'orange est sucré et le champagne fait plein de bulles qui me chatouillent le palais.

À peine a-t-elle vidé son verre que Tanya m'en propose un autre. Je bois le mien d'un trait et le lui tends.

À la fin du deuxième, une agréable euphorie m'envahit. Je me sens comme le champagne : pleine de petites bulles rigolotes et toute légère.

Je n'en perds pas le nord pour autant. Pas question de rater la performance de Lizzie.

— Liz n'va pas tarder. On f'rait mieux d'y aller.

— D'ac', approuve Tanya en s'envoyant sa deuxième coupe cul sec. Allons-y.

Sur le chemin du retour, j'ai un peu l'impression de flotter. Et, tout à coup, me voilà prise d'une crise de fou rire monumentale. Sans savoir pourquoi !

— C'est dingue la vie, Tanya ! D'vraies montagnes russes : on descend et on r'monte toutes les zinq minutes. Tu passes du rire aux larmes et inverzement en moins de temps qu'il ne faut pour... pour... enfin, en moins d'temps, quoi !

— Ouais, approuve Tanya entre deux hoquets. Glouglou, tu coules, et Wizzzz, tu remontes ! Za fait des bulles comme le zampagne.

King Noz vient juste de commencer et je rejoins aussitôt Simon et Tony au fond de la salle. Où est passée Lucy ? Je parie que mon grand frère adoré saura me renseigner...

— Elle est où, Lucy ?

— Partie voir comment va Lizzie, je crois.

Quelques minutes plus tard, ma grande copine réapparaît. (Enfin... « grande », façon de parler !)

— Lizzie m'a répété ce que LNaz a raconté sur toi. Quelle peau de vache !

Je pouffe.

— Une vache qu'en pince pour Tony. C't'une vache et moi un zèbre ! Je lui ai expliqué que Tony craquait pour toi et elle a fait style « Euh...

j'en doute ». Genre « Pas quand il peut avoir une fille comme moi ».

— Ah oui ? siffle Lucy en jetant un regard noir à Hélèna.

Et, tel un rapace sur sa proie, la voilà qui fond sur Tony - lequel est justement en train de parler avec Hélèna. Sa Majesté fait ruisseler l'or de sa chevelure avec de grands gestes hyper-naturels, le regard plongé dans les yeux de mon frère comme si elle cherchait à l'hypnotiser. Tony, en revanche, a l'air de chercher la sortie. Quand Lucy s'approche de lui, son visage s'illumine comme un sapin de Noël.

— Tu danses ? demande-t-elle en lui prenant la main au moment où King Noz entame un slow.

Tony hoche la tête – genre chien à ressort qu'on met à l'arrière des voitures – et la suit sur la piste. Elle lui noue les bras autour du cou, se blottit contre lui et lui murmure quelque chose à l'oreille. En conséquence de quoi il lui donne un mégabaiser hyper-romantique. Le truc qui dure trois plombes... Ah oui ! Joli ! À ce niveau-là, ça mérite au moins un Oscar !

Je regarde Hélèna. Elle a du mal à refermer la bouche. Un blocage intempestif, peut-être ?

Je m'empresse d'aller vérifier.

— Qu'est-ce que tu disais déjà au sujet de Tony et de mon amie Lucy ?

Pour toute réponse, LNaz tourne les talons et se rue sur Simon, lequel me jette un regard navré, limite S.O.S., tandis qu'elle le tire par le bras pour l'entraîner sur la piste. C'est le moment que choisit Tanya pour réapparaître et me glisser en cachette une coupe de Bellini. Je la remercie d'un signe de tête et je m'empresse de descendre en douce mon troisième cocktail.

Yahou ! Qu'est-ce que z'est bien d'ze tenir mal !

Je regarde Simon et Hélèna sur la piste. Aucun des deux ne sait danser. Simon fait de son mieux, mais le résultat est un peu saccadé. Quant à Hélèna, c'est un désastre : elle n'a aucun sens du rythme.

Je me penche vers Tanya pour lâcher mon verdict :

— Fort Limité, ouais !

Elle me regarde d'un air perplexe.

Je bredouille alors, en guise d'explication :

— For...fait Illllimité.

Avant de me souvenir que la formule n'est pas de Tanya mais de Lizzie. Oh la la ! Tout s'embrouille dans ma tête.

— Tasha ? T'es sûre que ça va ? s'inquiète Tanya.

— Jamais été mieux. Tu veux danzer ?

S'il y a quelque chose que je sais faire, c'est bien ça : danser. Je vais leur montrer, moi, à ces pimbêches ce que c'est qu'une bonne danseuse !

À la fin du slow, Ben prend le micro.

— Et, maintenant, je voudrais vous présenter un nouveau membre du groupe qui chante avec nous pour la première fois ce soir. Je compte sur vous pour l'encourager. Je vous demande d'applaudir Mlle Lizzie Foster !

Lizzie monte sur scène. Elle est carrément top fab. Je suis si fière d'elle que je crie à tue-tête pour l'acclamer.

Je me répète en boucle : « Z'est ma copine. Ma zuper copine. »

Le groupe recommence à jouer et Lizzie se met à chanter. Le silence s'installe. Impressionnant. Ben fait les chœurs. Leurs voix se marient à merveille. L'harmonie est parfaite. Ils sont vraiment bons.

Mais tout le monde est tellement sous le charme que personne ne danse.

Je monologue à mi-voix :

— Les gens devraient danzer. Z'rait mieux pour la maison d'dizques. Z'est 'achement important. Attends, j'vais les faire bouger, moi. J'vais faire za pour ma copine.

Je me dirige vers la piste ; j'enlève mes chaussures et je me balance en rythme. J'ai un peu la tête qui tourne, mais il suffit de bien se concentrer sur les basses pour entrer dans le *beat* et, là, je le sens vibrer dans tout mon corps. Je n'ai plus qu'à me laisser aller. Je me sens légère, si légère...

Au bout de cinq minutes, tout le monde me regarde. C'est mon heure de gloire. Pas question de rater ça : je me donne à fond. Je tourbillonne, je virevolte, j'enchaîne tous les pas que j'ai piqués dans les meilleurs clips de MTV. Je suis la star du dance-floor, Madonna, Geri et Britney réunies.

Même Lizzie me regarde, de là-haut, sur scène. Elle doit être fière de moi ! C'est pour elle que je me défonce. Il faut que je sois à la hauteur. Elle qui chante si bien ! Pourtant, je lui trouve un drôle d'air...

C'est alors que j'aperçois Lucy. Elle aussi, elle a les yeux braqués sur moi... et elle est verte de rage. Vu la vitesse à laquelle elle déboule, elle va me tomber dessus à bras raccourcis en moins de trois secondes chrono.

— Tasha ! siffle-t-elle entre ses dents en m'empoignant par le bras. Va t'asseoir. Tout de suite !

— Mais bourquoi ? Faut qu'les gens danzent. Faut qu'y viennent zur...

— C'est Lizzie qu'on vient voir, ce soir, Tasha. Pas toi !

Et, sur ces bonnes paroles, elle m'arrache littéralement à la piste pour me traîner vers la sortie.

— Mais qu'est-z'qui z'paz ?

Tout devient flou autour de moi et ma bouche est si sèche que j'ai l'impression d'avoir la langue

collée au palais. Si je m'écoutais, je me couche-
rais tout de suite, là, par terre. Je suis fatiguée !
Mais fatiguée !

Dans un dernier sursaut d'énergie, je parviens
à bredouiller :

— Oùyzonlezautres ?

— Qu'est-ce qui te prend à la fin ? fulmine
Lucy.

— Balloni. Z'est zuper. Avec Tanya.
Zusd'oranzéchamp... champagne.

— Oh non ! Ne me dis pas que tu as... Mais
tu ne tiens plus debout ! Attends. Je vais chercher Tony.

Et elle me pousse brutalement sur une chaise.
Je me vois partir en arrière. Je tombe comme
une masse. Et, comme la table d'à côté me tend
les bras, je m'écroule dessus. De toute façon, j'ai
la tête si lourde que je ne peux plus la porter.

J'ai dû m'endormir parce que quelqu'un me
secoue.

— Il est temps de rentrer à la maison, sœu-
rette.

La voix de Tony. Je me redresse avec difficulté. Ouille ouille ouille ! Ma tête ! Je jette un
vague coup d'œil vers la scène : elle est vide.

Glups ! Je me sens hyper-mal. Je cherche les
autres des yeux. Lizzie, Ben et Lucy discutent
dans un coin. Ils me tournent le dos.

— Oh la la la la !

Je revois le regard noir de Lizzie sur scène, la fureur de Lucy...

— Viens ! insiste Tony en m'aidant à me relever. On va prendre l'air.

Il me passe le bras autour de la taille pour me porter jusque sur le trottoir, en face du pub.

Je retrouve suffisamment mes esprits pour lui demander d'une voix pâteuse :

— Et Zimon ?

— La dernière fois que je l'ai vu, il versait des litres d'eau minérale dans le gosier de sa sœur dans l'espoir de la dessoûler avant que sa mère ne la voie dans cet état et qu'il ne se fasse incendier à sa place.

— Oh ! Zeigneur ! On a pris des Ballonis, plein d'Ballonis. Pardon. Pardon...

L'air frais me réveille un peu, mais j'ai la tête comme un marteau-piqueur. Soudain, une idée épouvantable me traverse l'esprit.

— Maman est là ?

Tony secoue la tête. Ouf !

— Non. Elle m'a averti sur mon portable que M. Lovering viendrait nous chercher.

— Oh non ! Hélèna n'va pas regretter sa soirée quand elle va nous voir tous monter dans cette vieille bagnole pourrie !

— Qu'est-ce qu'on en a à faire de ce que pense Hélèna ? rétorque-t-il. Allez, viens !

J'aperçois la Coccinelle des parents de Lucy à quelques mètres. Je jurerais qu'elle brille dans la nuit, tel un insecte turquoise géant. Ouah ! C'est plus fort qu'on ne le croie les Ballonis !

Lizzie sort alors de la salle, suivie de Lucy. Au moment où son regard croise le mien, elle détourne vivement la tête.

Je m'élance vers elle, balbutiant des « Je suis désolée, je suis désolée » contrits, mais Lucy me coupe net :

— Tu n'avais pas à te mettre en avant comme tu l'as fait, Tasha, m'assène-t-elle d'une voix cassante. C'était la soirée de Lizzie. Pas la tienne. Il a encore fallu que tu fasses ton intéressante, comme d'habitude.

« Comme d'habitude » ? Je suis brusquement prise d'une envie de m'asseoir sur le trottoir pour pleurer toutes les larmes de mon corps. Ce n'est pas juste ! Ce n'est pas ma faute ! Je voulais seulement me montrer sympa avec Tanya qui m'a défendue quand LNaz m'a traitée de zèbre.

Je tourne la tête en entendant la guimbarde bariolée des Lovering approcher. Au même instant, je vois Hélèna, tête haute, regard fier, se diriger vers une Mercedes noire.

Et, tout à coup, c'est trop. Je sature.

J'ai la gorge serrée, le ventre noué, la vue brouillée...

Je veux Simon. Simooooon !

Mais Simon ne m'aime que quand je le fais rire, non ? C'est mon audace, mon inébranlable assurance qu'il apprécie ; mon attitude de battante qu'il admire.

Celle qu'il aime, c'est Tasha la Fonceuse. Il ne supporterait pas Tasha la Pleureuse, qui sanglote et se lamente. Il ne doit pas me voir dans cet état.

Il faut que je m'en aille.

J'interpelle Lucy qui se tient à l'écart, le bras passé autour des épaules de Lizzie :

— Dis à Tony que je rentre toute seule, s'il te plaît.

Et, sans attendre sa réponse, je file vers la station de métro la plus proche.

12

%*@ :-(
« GUEULE DE BOIS »

Première sensation au réveil : quelqu'un a dû scotcher mes paupières pendant la nuit. Elles sont louuuurdes, mais louuuuurdes ! Je réussis enfin à les ouvrir et je me tourne vers le réveil.

Onze heures et demie ! J'étouffe un grognement et j'essaie de me redresser. La pièce se met à tournoyer et, brusquement, je me souviens... LA SOIRÉE D'HIER ! L'horreur !

Comment je suis rentrée, au fait ?

Je me rappelle avoir vidé les lieux en quatrième vitesse. À peine passé le coin de la rue, j'ai été obligée de m'appuyer contre le mur pour reprendre mon souffle. Je me sentais si mal. J'étais complètement perdue. Tout s'embrouillait dans ma tête. Mal au cœur et envie de rentrer à la maison. Je voulais ma maman.

Au loin, j'ai aperçu la lumière d'un taxi. J'allais lever la main, quand je me suis rappelé que je n'avais pas d'argent. Mes dernières économies avaient été englouties par un stupide jeu et je n'étais pas sûre qu'il y aurait quelqu'un à la maison pour payer la course.

Au fond de mon porte-monnaie, j'ai trouvé : une pièce d'une livre, trois pièces de vingt pence et une pièce de cinq pence. Assez pour prendre le métro. C'était déjà ça.

J'ai repris la direction de la bouche de métro. Sur le chemin, je me suis fait apostropher par trois types débraillés qui buvaient des canettes de bière, sous un porche.

J'ai baissé la tête et j'ai accéléré l'allure. Règle N° 1 du kit de survie pour affronter une ville la nuit selon Mlle Nollan : « Marcher d'un pas assuré et ne regarder personne. »

En arrivant à la station, j'ai failli tomber en butant dans ce que j'ai d'abord pris pour un tas de chiffons empilés par terre. C'était un garçon emmitouflé dans son sac de couchage. Il ne devait pas être beaucoup plus vieux que moi. Devant lui était posé un petit écriteau sur lequel on pouvait lire « J'ai faim et je suis sans abri. Aidez-moi S.V.P. » rédigé d'une main malhabile. À côté de lui était couché un chien noir. Ils avaient l'air si pathétiques !

J'ai acheté mon billet au guichet et j'ai mis le reste de ma monnaie dans la boîte de conserve posée à côté de sa pancarte, en bredouillant :

— Désolée. C'est tout ce que j'ai.

166

Et puis je me suis dirigée vers le quai. Heureusement, je n'ai pas eu à attendre longtemps. Suivant la règle N° 2 du *Londres by night* vu par Nollan : « Ne montez jamais dans une voiture vide », je me suis avancée jusqu'au centre de la rame, là où il y avait le plus de monde. Je me suis assise près de la porte et je me suis concentrée sur le plancher.

Un peu plus loin, une bande de garçons mangeait des hamburgers. L'odeur d'oignons et de ketchup était insupportable. J'ai cru que j'allais vomir.

— Tu veux goûter à ma saucisse ? a lancé l'un d'eux en me tendant son hot dog.

Tous ses copains ont ricané.

J'ai gardé les yeux rivés au sol, sans répondre. J'avais envie de pleurer. Intérieurement, j'appelais ma mère.

Quand le métro s'est arrêté à « Highgate », je suis sortie comme une fusée et je me suis ruée sur l'escalier. J'ai monté les marches quatre à quatre. En moins de deux minutes, j'étais déjà dehors. Bouh ! Qu'est-ce qu'il faisait noir ! Mais qu'est-ce qui m'avait donc pris de vouloir rentrer toute seule ? J'ai remonté le couloir en courant. J'étais morte de peur.

J'ai quand même pensé à passer la bandoulière de mon sac par-dessus ma tête pour le plaquer contre mon ventre. (Règle N° 3. Valable de jour comme de nuit. C'est plus difficile d'arracher un sac porté en travers qu'à l'épaule.) Et puis, j'ai pris mes clefs dans mon sac pour les mettre dans la poche de mon pantalon. (Règle N° 4. « Ainsi, même si on vous vole votre sac ou votre blouson, vous pourrez rentrer chez vous ».)

Après avoir pris ces précautions, je me suis remise à courir.

Tout me semblait menaçant : les arbres, les voitures qui passaient, les gens sur les trottoirs... Je leur trouvais tous l'air louche. Mon cœur tambourinait dans ma poitrine. J'ai descendu notre rue en trombe. En deux bonds, j'étais déjà en haut du perron. Je me suis battue avec les verrous. Et, enfin, j'ai poussé la porte. Jamais encore les lumières du salon ni le son de la télé ne m'avaient paru si accueillants.

Sauvée !

Papa est apparu dans le couloir.

— Tasha ?

— Papa ! Super !

Et j'ai aspergé toute l'entrée de jus d'orange champagnisé !

Ah oui ! Ça me revient maintenant. Mais dans quelle galère je suis encore allée me fourrer, moi !

Tout le monde doit m'en vouloir à mort : Papa, Tony, Lucy, Lizzie...

Moi aussi, je m'en veux. Je m'en veux même terriblement.

Tandis que je jette un coup d'œil circulaire dans ma chambre, l'image de ce garçon couché par terre dans le métro me revient à l'esprit. Il n'avait rien, lui. Alors que moi j'ai tout. Des C.D., des bouquins, des fringues, du parfum, du maquillage, un ordinateur, mon propre poste de télé, un portable... Mais surtout, surtout, un toit. Un refuge où je suis sûre de toujours trouver réconfort et affection.

Et qu'est-ce que j'ai fait, ces dernières semaines ?

J'ai passé mon temps à pleurnicher sur mon sort. Je n'ai pensé qu'à moi. À moi et aux choses que je ne pouvais pas me payer.

Jamais je ne me suis sentie aussi nulle de toute ma vie. Lizzie a raison : le désir rend malheureux.

Quand je repense à elle ! Je lui ai gâché son grand soir. Elle qui était si belle et qui a fait preuve de tant de courage ! Elle qui a dû affronter ses pires angoisses et chanter comme ça devant...

Et me revoilà partie à pleurer comme une madeleine.

Je suis l'être le plus abject qui ait jamais foulé cette terre. Je suis mauvaise. Sniff ! Égoïïïiste. Sniff ! Narcissiiiique. Sniff ! Et... Oooooh ! bon sang !... moooorte de faim ! !

Une bonne odeur de bacon frit flotte dans l'escalier.

À manger ! À manger ! À manger ! Maintenant !

Des images de toasts, de café fumant, de muffins et de beurre de cacahouètes dansent devant mes yeux.

Mon estomac crie famine et toute pensée de contrition s'évanouit. Une seule nécessité : trouver un moyen de me faufiler dans la cuisine sans tomber sur les parents.

J'enfile ma robe de chambre et je me dirige vers la cuisine. Tels une brochette de juges en cour d'assises, perchés sur leurs tabourets, Papa, Maman et Tony me regardent en silence faire une entrée qui se voudrait discrète. Impossible d'y couper : cette fois, je suis bonne pour la privation de sortie à perpétuité.

Je m'éclaircis la gorge pour saluer timidement l'assistance, histoire de tâter le terrain :

— Hum... Bonjour.

Il y a quelque chose qui cloche. Étant donné les circonstances (j'ai tout de même repeint le vestibule en Technicolor, en rentrant, hier soir), je trouve Papa et Maman étonnamment souriants. En plus, il y a une bouteille de ce qui ressemble à du champagne dans un seau à glace, sur le comptoir et... Oh non ! Un pack de jus d'orange ! Et Papa et Maman ont chacun devant eux une coupe pleine.

Je me penche pour en sentir le contenu et l'odeur, à elle seule, suffit à me soulever le cœur.

Je demande, d'un ton incertain :

— Ce ne seraient pas des Ballonis ?

— Non, répond maman. Des Buck's Fizz.

Papa éclate de rire.

— D'abord, on ne dit pas « Balloni », mais « Bellini ». Ensuite, le Bellini est un cocktail à base de champagne et de jus de pêche. Avec de l'orange, cela s'appelle un Buck's Fizz.

— N'empêche. Au réveil ? Beurk !

— Il est presque midi, mon ange, me fait aimablement remarquer Maman.

Hum hum !

— Nous buvons du champagne, reprend-elle, parce que nous avons quelque chose à fêter. Mon contrat a été renouvelé pour trois ans ! m'annonce-t-elle, radieuse. Et, cerise sur le gâteau : j'ai été augmentée.

Je fais un bond de deux mètres et je lui saute au cou.

— C'est génial, Maman ! Bravo ! Est-ce que ça veut dire que tout va redevenir comme avant ?

— Jusqu'à nouvel ordre, répond Papa en levant son verre. La vie continue !

Tony n'a pas ouvert la bouche depuis mon arrivée. Les yeux braqués sur moi, il mange avec méthode un toast au bacon en me fusillant du regard.

Brusquement, il explose :

— Non mais ! qu'est-ce qui t'a pris de vouloir rentrer toute seule, hier soir ? On a passé des heures à te chercher partout, Simon et moi. Il aurait pu t'arriver n'importe quoi !

Mon Dieu ! Simon ! Je ne lui ai même pas dit au revoir, hier soir. Encore un qui doit me haïr ! Je devrais faire une liste : à ce rythme-là, je risque d'en oublier !

Je n'ai pas le cran de regarder Tony en face. Les yeux rivés sur la pile de toasts, je murmure :

— J'ai pris le métro.

— Oui. Eh bien, on ne pouvait pas le deviner ! En plus, tu avais coupé ton portable.

Papa et Maman écoutent avec attention le discours de leur fils aîné qu'ils ponctuent de hochements de tête approbateurs. C'est le monde à l'envers : Tony joue le chef de famille, catégorie « Père La Morale ».

— À ton âge, on ne traîne pas dehors à une heure pareille ! s'insurge-t-il. Et si tu étais tombée sur un cinglé ?

J'abandonne – pas la peine d'en rajouter, il est déjà assez énervé comme ça. Je bredouille de plates excuses, tout en tendant, mine de rien, la main vers les toasts.

— Tu as mal à la tête ? compatit Papa.

— Oh oui ! Tanya m'a fait boire un de ces trucs au champagne, là. Je ne savais pas que c'était aussi fort.

— Combien en as-tu bu ?

— Euh... trois ou quatre. Je ne le ferai plus. Promis juré.

Je me tourne alors vers Tony pour lui demander :

— Est-ce que Lucy ou Lizzie ont dit quelque chose, après mon départ ? Est-ce qu'elles m'en veulent ?

— Chais pas. Elles sont rentrées aussitôt avec la mère de Lucy, pendant qu'on se mettait à ta recherche, avec Simon. Mais tu n'as donc rien dans le crâne, bon sang ? Tu n'as pas pensé qu'on pouvait s'inquiéter ?

— Oh ! je parie que Lucy et Lizzie ne se sont pas inquiétées, elles.

— Ah ça ! Elles n'avaient pas l'air de te porter dans leur cœur ! Surtout Lucy.

Je me sers un café pour me donner une contenance. Quel gâchis !

Je marmonne un vague :

— Je vais leur envoyer un texto tout de suite.

— Dégonflée ! Pourquoi tu ne les appelles pas, plutôt ? Ou pourquoi tu ne vas pas les voir ? Tu leur dois bien ça, non ?

Non. Pas maintenant. Je ne pourrai jamais supporter leurs reproches. Pas aujourd'hui.

Il doit être environ six heures quand Papa vient frapper à la porte de ma chambre.

Comme j'ai mal au cœur, je suis allée m'allonger un moment. Il entre et vient s'asseoir sur le bord de mon lit.

— Comment va ma princesse ? s'enquiert-il.

— Pas terrible. J'ai l'impression d'avoir tout un régiment de goblins chaussés de bottes ferrées qui jouent à saute-mouton dans ma tête.

Je reste sur mes gardes : je ne suis pas encore convaincue d'avoir échappé au savon auquel je m'attends depuis ce matin. Mais je me dis aussi que ce n'est pas la peine de faire traîner les choses. Plus vite j'en serai quitte et mieux ça vaudra.

Je lui tends la perche :

— Tu n'es pas en colère contre moi ?

— Non, Tasha. Je ne suis pas en colère, répond-il doucement en secouant la tête. Mais peut-être devrais-tu attendre encore quelques années avant de boire une demi-bouteille de champagne à toi toute seule. Même s'il est dilué avec du jus d'orange. Je suis plus préoccupé qu'autre chose... Ta mère m'a dit que tu n'étais pas très en forme, ces derniers temps. En tout cas, tu étais mal en point, hier soir.

Je sens ma gorge se serrer. Je m'attendais si peu à cette réaction de sa part. Moi qui croyais me faire hacher menu ! Et voilà que tout le monde se fait du souci pour moi et... Bouhouhou ! Brusquement, ce sont les grandes eaux. Je craque et je déballe tout : le concert, la trouille que j'ai eue en rentrant...

— ... et mon nouveau petit copain, je crois qu'il m'aime seulement parce que je le fais rire. Mais, il y a des moments où je n'ai pas envie de rire, moi. C'est épuisant de faire le clown tout le temps...

— Eh bien, ne te force pas, me console Papa en me tapotant la main. Reste toi-même. S'il en vaut vraiment la peine, il sera à tes côtés dans les bons comme dans les mauvais moments. C'est normal de traverser des périodes de doute ou de découragement. En avez-vous parlé ensemble, au moins ?

— Non. Il part bientôt à Courchevel. Faire du ski. Et, comme un de ses copains s'est décommandé, il m'avait demandé si je voulais venir... Oh, Papa ! ça a été l'horreur ! Ses parents sont richissimes : il habite quasiment un manoir et il vit comme un prince ! Comment voulais-tu que je puisse suivre ?

— Pourquoi ne lui montres-tu pas qui tu es ? Pourquoi ne partages-tu pas ce que tu ressens avec lui ? S'il reste, formidable. Et, s'il s'en va, c'est qu'il ne te méritait pas.

Il se lève alors sans prévenir pour se diriger vers mon bureau. Je croyais qu'il allait ajouter quelque chose mais, tout à coup, il se fige et se penche pour regarder... l'annonce pour l'agence de mannequins ! J'ai laissé la page de journal que j'ai arrachée sur mon bureau et j'ai entouré l'annonce au crayon rouge. Oh non ! faites qu'il ne la voie pas ! Trop tard. Il a déjà la feuille entre les mains. Il s'assied même pour la lire.

Je préfère encore me planquer sous mon oreiller.

— Oh, Tasha ! s'écrie-t-il. Tu n'as pas contacté ces gens, n'est-ce pas ?

J'acquiesce d'un hochement de tête qui secoue mon oreiller.

— Est-ce qu'ils t'ont... demandé de l'argent ? s'enquiert-il d'une voix sinistre.

J'acquiesce de nouveau.

— Sors de là, m'intime-t-il. Je vais te parler de ces agences. Elles ne tournent qu'avec l'argent des jeunes filles qu'elles exploitent. Crois-moi, je suis bien placé pour le savoir : je travaille avec des agences de mannequins depuis plus de vingt ans. Les vraies agences ne demandent aucuns frais, ni d'inscription ni de book. L'argent qu'elles avancent est considéré comme un investissement. C'est un pari sur l'avenir. Et, crois-moi, elles savent ce qu'elles font : elles repèrent tout de suite les filles qui seront les top modèles de demain. Les autres aussi promettent un bel avenir aux jeunes filles qu'elles engagent, mais c'est seulement pour leur soutirer de l'argent.

— Je... je ne savais pas...

— Si tu tiens tant à devenir mannequin, je te promets de m'en occuper personnellement le jour même de ton seizième anniversaire. D'accord ?

— Je ne veux pas devenir mannequin. Je veux être actrice.

— Pourquoi avoir conservé cette annonce, alors ?

— Je voulais me faire un peu d'argent. Pour vous aider, Maman et toi... et... pour m'acheter de nouvelles fringues et tout ça.

— Oh, Tasha ! s'esclaffe Papa. Tu n'as pas à te faire de souci pour nous. Pas encore, du moins. Peut-être quand nous serons vieux et gâteux...

— Mais tu n'as pas d'autre projet de tournage, si ?

— J'ai quelques offres sous le coude. Je ne veux pas prendre la première chose qui se présente. Et puis, je voudrais me rapprocher un peu de la maison pour tenir à l'œil ma tête brûlée de fille. Tasha, on n'est jamais sûr de rien dans ce métier. Si tu veux devenir actrice, tu ferais mieux de t'y habituer. Les acteurs, tout comme les metteurs en scène, n'enchaînent pas forcément les films. Il y a là, dehors, tout un tas de gens bourrés de talent qui « font relâche » ou sont « entre deux contrats », comme on dit avec pudeur dans la profession.

— Au chômage, tu veux dire ?

— Exactement.

— J'espère que tu trouveras quelque chose bientôt, Papa.

— Ça a toujours marché jusqu'à maintenant, non ? En attendant, il y a un certain jeune homme que j'appellerais, si j'étais toi...

À peine Papa a-t-il quitté ma chambre que j'appelle Simon sur son portable. Messagerie.

J'appelle chez lui.

— Il est à la campagne, répond une voix inconnue.

J'avais oublié. Il m'a dit, hier soir, qu'il devait aller passer quelques jours dans la résidence secondaire de ses parents.

Il ne me reste plus qu'à lui envoyer un e-mail.

Simon,
Je t'écris pour te dire adieu.
Et aussi pour essayer de me faire pardonner pour hier soir. Tony m'a raconté que vous m'avez cherchée partout et que tu étais très inquiet pour moi. J'en suis sincèrement désolée, mais, comme tu le vois, je suis rentrée saine et sauve. Avant de repeindre tout le vestibule en Technicolor ! Ça a jeté comme un froid à la maison...

Je ne peux pas venir avec toi à Courchevel. Mes parents ne sont pas aussi riches que les tiens et ils ne peuvent pas se permettre de me payer des vacances en France.

C'est pourquoi je crois qu'on ferait mieux de se dire adieu tout de suite. Je ne peux pas te suivre dans tout ce que tu fais, comme le ski ou le cheval. Pas avec l'argent de poche que me donnent mes parents en tout cas

Et ça me déprime tellement de ne pas être à la hauteur qu'il vaut mieux arrêter là.

Parce que ça m'arrive, parfois, tu sais.
De déprimer, je veux dire. En fait, certains jours, je peux être carrément
sinistre, voire d'une humeur de chien.
Imbuvable. Depuis que tu me connais, je ne
crois pas que tu m'aies vue telle que je
suis vraiment. Tu m'as dit que ce que tu
aimais chez moi, c'étaient mon assurance
et mon humour. Eh bien, maintenant, tu
sais la vérité : je ne suis pas marrante
tous les jours.

Pardon pour tout. Peut-être qu'on
pourra encore s'envoyer des textos, de
temps en temps ?

Biz.

Tasha.

LE JOURNAL DE TASHA

Après le petit déjeuner, j'ai envoyé des tonnes de messages à Lucy et à Lizzie. Ils sont tous restés sans réponse.

J'ai envoyé un e-mail d'adieu à Simon. J'espérais un peu qu'il réagirait aussitôt, qu'il ferait un truc extraordinaire, genre escalader à mains nues la Tour de Londres pour planter à son sommet une banderole me jurant un amour éternel. Ou venir sous ma fenêtre me jouer la sérénade.

Tu parles ! Je n'ai pas eu cette chance.

Pas de réponse de Simon. Pas de réponse des filles.

Eh bien voilà : plus d'amies, plus de petit ami.

Ma vie est fichue.

13

DÉSOLÉE, DÉSOLÉE, DÉSOLÉE

— Pour l'amour du ciel ! Fais quelque chose ! craque Maman, au bout de deux jours à me voir traîner mon ennui à travers tout l'appartement. Vivement la reprise des cours ! Mais va leur présenter tes excuses ! Va faire la paix !

Je bougonne dans mon coin :

— J'ai envoyé des textos aux filles : elles ne m'ont pas répondu. J'espérais juste que... Chais pas. Même Simon n'a pas donné de nouvelles. Je lui ai pourtant envoyé un e-mail : il ne m'a pas répondu. Personne ne veut plus de moi !

— Mais si, ma chérie. Je t'aime, moi, me console Maman en me prenant dans ses bras. Allez ! Maintenant, dépêche-toi d'aller téléphoner à tes copines.

Je prends une profonde inspiration pour me donner du courage et je décroche le combiné. D'abord le numéro de Lizzie.

— Elle est partie à Camden Lock avec Lucy, me répond Mme Foster.

— Merci.

Je raccroche, la mort dans l'âme. Et voilà ! Elles sont ensemble : elles s'amusent sans moi.

Non, non et non ! Cette fois, c'est trop ! Il faut que je fasse quelque chose. Ma décision est prise. Action !

J'appelle Maman pour la prévenir :

— Maman ! Elles sont aux puces. Je vais essayer de les retrouver là-bas.

— Bonne idée, réplique-t-elle en venant me rejoindre dans le couloir, son porte-monnaie à la main. Tiens ! si tu trouves quelque chose qui te plaît...

Ouah ! Vingt livres ! Je lui saute au cou. Le bonheur, c'est d'avoir les poches pleines et la permission de les vider ! Je file prendre le métro.

Comme d'hab', le marché est bondé. Je décide de tenter ma chance à Cyberdog, au cas où Lizzie et Lucy seraient allées rendre visite à Ben.

— Ben n'est pas là aujourd'hui, m'annonce l'un des mutants extraterrestres qui travaillent là-bas.

Je regarde malgré tout à l'intérieur. Non. Pas de Lizzie ni de Lucy en vue. Maintenant que je suis ici, autant en profiter pour jeter un coup d'œil. Je me balade à travers la boutique jusqu'au présentoir de bijoux. Il y a le collier que Ben avait emprunté pour Lizzie, le soir du concert : un collier de chien en plastique turquoise hérissé de pointes métalliques. Je l'essaie, par curiosité. Ouah ! Ça en jette ! J'entends une petite voix dans ma tête qui murmure : « Et si tu l'achetais pour Lizzie ? » Mais oui ! C'est ça ! Je vais me servir de l'argent que Maman m'a donné pour faire des cadeaux aux filles. Et, si je ne les trouve pas, j'irai directement les leur offrir pour me faire pardonner.

Je vais tout de suite à la caisse payer le collier pour Lizzie et je cherche quelque chose pour Lucy. Sauf que Cyberdog, ce n'est pas vraiment son style. Alors je sors faire le tour des stands du marché central. Il y a de super T-shirts, ici. J'examine les portants en me demandant lequel pourrait plaire à Lucy.

Et là je découvre LE truc. C'est un T-shirt blanc, tout simple. Mais, à la hauteur des seins, il y a deux grosses mains, comme des empreintes laissées à l'encre noire. Lucy fait un mégacomplexe parce qu'elle est plate comme une galette. Je suis sûre que ça la fera mourir de rire.

Je règle le vendeur et je continue à déambuler entre les étals. Au bout d'une heure, toujours aucun signe des filles. J'ai pourtant regardé partout.

Il me reste quatre livres cinquante. Juste de quoi acheter cet énorme œuf de Pâques en chocolat qui trône sur un étal de confiserie.

Maintenant, il faut que je prenne mon courage à deux mains pour appeler les filles. Je sors mon portable et je compose le numéro de Lucy.

C'est son frère aîné qui répond.

Je lui demande en essayant de prendre un ton super-naturel :

— Euh... Est-ce que Lucy est rentrée ?

— Oui. Attends deux...

— Non, non, Steve. Ne l'appelle pas. Est-ce que Lizzie est là aussi ?

— Oui.

— Bon. Alors, tu ne leur dis pas que j'ai appelé. O.K. ?

— D'accord.

Une demi-heure plus tard, je sonne à la porte des Lovering. C'est Steve qui m'ouvre la porte.

— Elles sont dans la chambre de Lucy, m'informe-t-il.

— Merci.

Je monte l'escalier à pas de loup.

Est-ce qu'il vaut mieux que je frappe ou que j'entre directement ? Me voilà plantée sur le palier à m'interroger sur la meilleure stratégie à adopter. Peut-être que je pourrais écouter à la porte pour voir ? Non. Mauvaise idée. La dernière fois que j'ai joué à ce petit jeu-là, j'ai entendu Héléna me traiter de zèbre. Sans façon. Il n'y a qu'une seule solution : trouver un personnage de film qui corresponde à la situation... quelqu'un qui se traîne aux pieds de... Ça y est !

Je me mets à genoux, j'ouvre la porte et je pénètre dans la chambre de Lucy en gémissant :

— Je ne suis pas digne. Je ne suis pas digne.

Et je me prosterne devant elles, genre Wayne et son pote Garth dans *Wayne's World*, quand ils se prosternent devant leur idole, Alice Cooper.

Échange de regards silencieux. Lucy et Lizzie ont l'air hyper-surprises de me voir.

— À quoi tu joues, Tasha ? me demande Lizzie.

Peut-être qu'elle n'a pas vu le film ?

Je me relève pour leur faire le sous-titrage :

— Euh... je me jette à vos pieds pour vous demander pardon. Je suis l'être le plus vil de la création : une amibe. La bave d'une amibe. La bave de la bave d'une amibe. Je vous en prie, les filles ! Vous me manquez tellement ! Je sais que j'ai tout gâché. Et je sais que la façon dont je me suis comportée pendant le concert est impardonnable. Je vous en prie, ne me laissez pas tomber. Je vous ai apporté des cadeaux pour me faire pardonner. Par pitié ! S'il vous plaît...

Je leur tends le collier, le T-shirt et l'œuf de Pâques, tout en poursuivant mon *mea culpa* d'une voix implorante :

— Pardon, pardon. Les bouddhistes sont censés pratiquer la clémence, non ? Hein, Lizzie ? Allez, les filles ! Je sais que je suis la copine la plus grave de la planète. Du cosmos. De l'hyper-espace tout entier. Mais je vous en...

Lizzie et Lucy éclatent de rire.

— On allait t'appeler, m'interrompt Lizzie. Tu nous manquais trop à nous aussi.

— Et puis on sait bien que ce n'est pas ta faute, renchérit Lucy. Ça t'a drôlement secouée, les trucs que LNaz a dits sur toi. Et je ne parle même pas du champagne...

Je m'écroule sur le lit. Youpi ! Youpi !

— Et puis, nous aussi, on a un cadeau pour toi, reprend Lizzie avec un petit sourire en coin. On est allées à Camden et on a vu un stand où ils impriment des slogans sur les T-shirts.

— Je l'ai vu ! je m'exclame, sidérée par la coïncidence. Je voulais vous en faire faire un. Mais je n'avais plus assez d'argent.

— Regarde, jubile Lizzie en me présentant un sac de plastique.

Lucy rigole comme une tordue.

Je sors le T-shirt et j'éclate de rire.

— Excellent !

Devinez ce qu'elles ont fait imprimer dans un grand cœur rouge :

« *I LOVE HÉLÈNA* » !

On a passé un super aprèm'. Il fallait rattraper le temps perdu. Il s'est passé tellement de trucs ! Lucy envisage de ressortir avec Tony. Mais elle s'est bien gardée de le lui annoncer.

— Je le laisse mariner encore quelque temps,

nous confie-t-elle. Rien de tel que l'incertitude pour freiner les coureurs...

Je me marre.

— Bien fait ! D'habitude, c'est lui qui dit toujours : « Plus t'es vache, plus elles s'attachent. »

— Eh bien, ça marche dans les deux sens.

Lizzie aussi a du nouveau : le type de la maison de disques est bien venu au concert et il a aimé ce qu'il a entendu.

— Il ne faut pas s'emballer, nous dégrise-t-elle en voyant nos mines ébahies. Mais il attend tout de même une démo au plus tôt sur son bureau. On croise les doigts.

— Et toi ? demande Lucy. Où tu en es avec Simon ?

— C'est fini. De toute façon, c'était perdu d'avance. Je n'ai pas eu de nouvelles depuis le concert.

— Oh ! je suis vraiment désolée, s'apitoie Lucy. Et puis, je l'aimais bien, moi, Simon.

— Tu n'étais pas la seule...

Un peu plus tard, on est toutes les trois devant la télé, en train de regarder la cassette de *La Menace Fantôme*. Trop top de retrouver Obi-Wan avec quelques dizaines d'années de moins. Surtout interprété par Ewan McGregor. (Cette fan de Lizzie est déjà en extase. Quant à moi, dommage que je ne l'aie pas vue plus tôt : ça m'aurait peut-être mieux préparée à « l'attaque des clones » version Lnaz... !) Et puis, je suis aux anges : j'ai retrouvé mes grandes copines.

Le film vient à peine de commencer que mon portable se met à sonner. La barbe !

Soudain mon cœur s'emballe. Et si c'était Simon ?

Je saute du canapé pour aller répondre. C'est bien son numéro qui s'affiche. Je fais signe aux filles que je vais dans le couloir, en chuchotant « Simon » en guise d'explication. Si je suis obligée de ramper, je n'ai pas envie de le faire en public. J'ai déjà donné.

— Salut, dit-il.

— Salut.

— Je viens juste d'avoir ton e-mail. Je suis navré de ne pas avoir pu t'appeler plus tôt. J'ai laissé mon ordi et mon téléphone portables à la maison. J'ai demandé ton numéro aux renseignements, mais il est sur liste rouge.

— Oui.

Par pitié, Tasha ! Reprends-toi ! Quand je pense qu'il admirait mon sens de la repartie !

— J'ai quelques petites choses à te dire, poursuit Simon, d'un ton hyper-grave tout à coup. Trois choses, en fait.

Ça y est. Je vais me faire larguer.

Je préfère aller m'asseoir sur les marches de l'escalier. On ne sait jamais.

— Premièrement, enchaîne-t-il, je te demande d'excuser ma sœur. Je suis désolé. Je ne sais pas

ce qui lui a pris de te faire boire tout ce champagne. Deuxièmement, je suis encore plus désolé
pour Héléna. Tanya m'a raconté ce qu'elle avait
dit sur toi. Apparemment, tu as tout entendu.
Lucy l'a dit à Tony et Tony me l'a répété. Je suis
hyper-hyper-désolé. En ce qui me concerne, je ne
suis pas près de lui adresser la parole et je crois
que Tanya l'a rayée de la liste de ses amies. Enfin,
troisièmement, j'aimerais bien te revoir, même si
tu es « carrément sinistre, voire d'une humeur de
chien » et « imbuvable ». Moi aussi, il y a des
jours où je me trouve nul et infréquentable. Et je
suis d'accord avec toi : il faut rester soi-même. La
sincérité est essentielle dans ma façon de conce-
voir une relation quelle qu'elle soit. Il faut accepter l'autre avec ses bons et ses mauvais côtés.

— ... et pour... enfin, tu sais... Ton milieu... le
mien...

— Non, m'interrompt-il d'un ton tranchant.
Ça ne marche pas du tout comme ça. « Ton
milieu » ? « Mon milieu » ? Qu'est-ce que ça signifie ? S'il y a un truc qui m'énerve, c'est bien ça !

— Ce n'est pas ce que disait Héléna.

— Ce n'est pas parce que nous sommes du
même « milieu » que je vois les choses comme elle,
Tasha. Que tu puisses seulement le penser est
insultant. C'est aussi réducteur que de croire que
tous les Italiens sont les mêmes. Ou tous les Aus-
traliens. Ou tous les habitants des quartiers nord.
Il y a du bon et du mauvais en chacun, d'où qu'il

vienne. Il y a des gens larges d'esprit. D'autres aux vues étriquées. Des gens généreux. D'autres mesquins. Et ça n'a rien à voir avec leur quartier, pas plus qu'avec les revenus de leurs parents.

J'ai l'impression que je suis en train de me reprendre un bon savon, moi. Mais j'ai compris la leçon. Si je ne me retenais pas, je me mettrais à chanter « Imagine » tant les paroles de John Lennon me semblent de circonstance.

— Hélèna n'est qu'une petite snob sans intérêt et l'a toujours été, poursuit Simon. C'est pour ça que je l'ai plaquée, d'ailleurs. C'est ce qu'on a dans la tête et dans le cœur qui compte... Alors ?

— Alors quoi ?

— Euh... Est-ce qu'on peut se revoir quand je rentrerai du ski ?

— Laisse-moi d'abord réfléchir sérieusement à tout ce que tu viens de me dire. Je t'enverrai un texto... Un de ces jours...

— Oh ! Euh... Bon.

Il a l'air hyper-déçu.

J'attends trente secondes après avoir raccroché et puis je lui envoie :
Tuloravoulu @bi1to
BIZOUXXXXXXXXXXXXXXXXXXXX

Il me répond :
☺ ☺ ☺ ☺ ☺ ☺ ☺ ☺ ☺ ☺ ☺ ☺ ☺ ☺ ☺ ☺ ☺
<3 <3 <3 <3 <3 <3 <3 <3 <3 <3 <3
<3 <3 <3 <3 <3 <3 <3 <3 <3 <3

Dans la même collection, découvre vite :

Sophie (T1)
Victoria (T2)
Olivia (T3)
Melissa (T4)
Charlotte (T5)
Rosie Rushton

Arrête, Maman, je vais craquer ! (T1)
Tout va très mal, merci ! (T2)
Comment as-tu osé, Maman ! (T3)
Qu'est-ce qu'il y a encore, Maman ? (T4)
Rosie Rushton

Pourquoi pas moi ? (T1)
Ni oui, ni non ! (T2)
La vie en rose (T3)
Phyllis Reynolds Naylor

Petits copains et grandes copines (T1)
Garçons cool et filles stressées (T2)
Petits complexes et grand amour (T3)
Cathy Hopkins

Des livres plein les poches, des histoires plein la tête

Cet ouvrage a été composé par
PCA - 44400 REZE

Impression réalisée sur Presse Offset par

BRODARD & TAUPIN

GROUPE CPI

La Flèche (Sarthe), le 19-03-2003
N° d'impression : 17135

Dépôt légal : mars 2003

Imprimé en France

12, avenue d'Italie • 75627 PARIS Cedex 13

Tél. : 01.44.16.05.00